W9-BSJ-474

COLLECTION FOLIO

Patrick Chamoiseau

Solibo Magnifique

Gallimard

© *Éditions Gallimard, 1988.*

Patrick Chamoiseau, né le 3 décembre 1953 à Fort-de-France, en Martinique, a publié du théâtre, des romans (*Chronique des sept misères, Solibo Magnifique*), des récits (*Antan d'enfance, Chemin-d'école*) et des essais littéraires (*Éloge de la créolité, Lettres créoles*). En 1992, le prix Goncourt lui a été attribué pour son roman *Texaco*.

Hector Biancotti,
cette parole est pour vous.

P. C.

Je suis d'un pays où se fait le passage d'une littérature orale traditionnelle, contrainte, à une littérature écrite, non traditionnelle, tout aussi contrainte. Mon langage tente de se construire à la limite de l'écrire et du parler ; de signaler un tel passage — ce qui est certes bien ardu dans toute approche littéraire (...).

J'évoque une synthèse, synthèse de la syntaxe écrite et de la rythmique parlée, de l'« acquis » d'écriture et du « réflexe » oral, de la solitude d'écriture et de la participation au chanter commun — synthèse qui me semble intéressante à tenter.

ÉDOUARD GLISSANT

Mé zanmis ôté nouyé... ! ?

ALTHIERRY DORIVAL.
chanteur haïtien.

Ce qui est au centre de la narration pour moi n'est pas l'explication d'un fait étrange mais *l'ordre* que ce fait étrange développe en soi et autour de soi : le dessin, la symétrie, le réseau d'images qui se déposent autour de lui, comme dans la formation d'un cristal.

ITALO CALVINO

L'ethnographe :

— Mais, Papa, que faire dans une telle situation ?

— D'abord en rire, *dit le conteur*.

AVANT LA PAROLE

L'ÉCRIT DU MALHEUR

PROCÈS-VERBAL

Transport sur les lieux de l'inspecteur principal Évariste Pilon, officier de police judiciaire.

L'an mille neuf cent...

Le deux février, six heures dix,

Nous, Évariste Pilon, officier de police à la Sûreté urbaine de Fort-de-France, Brigade criminelle, officier de police judiciaire,

Assurant la permanence de nuit,

Informé par le brigadier-chef, Philémon Bouaffesse, matricule 000,01, qu'il vient de découvrir, suite à une intervention de Madame Lolita *Boidevan*, marchande ambulante, demeurant au Pont-Démosthène après le grand canal, le cadavre d'un homme sous un tamarinier du lieu-dit la Savane,

Vu l'article 74 du Code de procédure pénale,

Avis donné à Monsieur le procureur de la République à six heures onze, qui nous délègue aux fins prévues par ce texte,

Nous nous transportons immédiatement sur les lieux,

Où étant, en présence du brigadier-chef qui nous a attendu sur notre ordre et nous conduit à l'endroit où il a découvert le corps,

Constatons ce qui suit :

À la gauche du monument aux morts, sous un arbre situé à 6 m 50, en bordure de l'allée, se trouve le cadavre d'un homme d'environ cinquante ans. Il porte une chemise blanche, ouverte, un pantalon gris déboutonné, conservant dans ses passants une ceinture de cuir noir dégrafée. Les pieds sont nus. Une chaussure contenant une chaussette roulée en boule se trouve à hauteur de sa hanche droite. Les vêtements sont tachés, et en désordre. Les manches de la chemise sont remontées jusqu'aux coudes. Le pantalon est roulé jusqu'aux genoux.

Le corps est allongé sur le dos, entre les racines de l'arbre. Les bras, écartés en croix, sont maintenus en position haute. Le genou droit est replié. La tête est inclinée vers la gauche. Les jambes sont orientées vers le monument aux morts.

Le cadavre est froid, atteint de rigidité. Il ne présente aucun signe de putréfaction. Aucune écorchure, égratignure ou contusion ne se voit sur le visage et sur les mains. La face est grisâtre, les oreilles violacées, une écume rose sort de la bouche et du nez. Les yeux sont écarquillés. Aucun traumatisme n'est visible sur la poitrine, le ventre, les bras et les jambes. Le crâne ne porte aucune blessure apparente.

A l'issuc dc son cxamcn concomitant au nôtrc, le docteur Gabriel Siromiel nous fait un rapport écrit portant serment de nous donner son avis en son honneur et conscience, duquel il appert que la mort remonte à quatre ou cinq heures, que sa cause est en l'état inconnue.

Autour du corps se trouvent un tambour de paysan, quatre petites bouteilles en verre blanc, vides et ouvertes, une caisse d'emballage de pommes de terre, brisée, des débris divers : tamarins écrasés, feuilles qui ne proviennent pas du tamarinier. L'endroit semble avoir été piétiné. Aucune trace de pas n'est nettement visible.

En haut du crâne, entre les racines, se trouvent un chapeau gris à ruban clair, une chaussure délacée, une chaussette roulée en boule, de nombreux débris de verre. Une forte odeur d'urine s'y perçoit.

Continuant notre examen des lieux, nous découvrons sous une racine un couteau d'environ quinze centimètres à manche métallique, une lame de rasoir brisée ; en face de l'arbre, à environ un mètre du corps, se trouvent un alignement de gros cailloux, des caisses d'emballage, une dame-jeanne vide et ouverte, deux petites bouteilles vides, des débris divers.

Constatons la présence dans un nœud de l'arbre d'un flambeau éteint.

Tous relèvements et prises de photographies utiles étant effectués, nous extrayons des poches du cadavre un rasoir, deux billets de dix francs, une pièce de cinquante centimes, un mouchoir de coton à carrés rouges.

Saisissons le tambour, les petites bouteilles de verre blanc, la caisse d'emballage de pommes de terre, le couteau à manche métallique, la lame de rasoir, la dame-jeanne, que nous faisons porter immédiatement, sous emballage spécial, au laboratoire inter-régional de police, à fins d'analyse de contenu, au relevé et à l'agrandissement photographique des empreintes digitales existant sur ces objets. À cet effet, joignons au présent envoi, pour comparaison, les empreintes digitales de la victime, que nous relevons nous-même auprès du cadavre.

Ces opérations effectuées, faisons transporter le corps à la morgue de l'hôpital Clarac où, conformément aux prescriptions de Monsieur le procureur de la République, il doit être procédé à une autopsie par les soins du docteur Lélonette, médecin-expert près la Cour d'appel de Fort-de-France.

Les lieux étant ouverts, faisons entourer l'arbre et ses abords de barrières Vauban, avec présence de deux gardiens.

Dont procès-verbal
que le docteur Siromiel
et le brigadier-chef Bouaffesse
signent avec nous
après lecture faite.

L'officier de police judiciaire
É. PILON.

1

MES AMIS !

LE MAÎTRE DE LA PAROLE
PREND ICI LE VIRAGE DU DESTIN
ET NOUS PLONGE
DANS LA DÉVEINE...

(Pour qui pleurer ?
Pour Solibo.)

Au cours d'une soirée de carnaval à Fort-de-France, entre dimanche Gras et mercredi des Cendres, le conteur Solibo Magnifique mourut d'une égorgette de la parole, en s'écriant : Patat' sa !... Son auditoire n'y voyant qu'un appel au vocal crut devoir répondre : Patat' si !... Cette récolte du destin que je vais vous conter eut lieu à une date sans importance puisque ici le temps ne signe aucun calendrier.

Mais d'abord, ô amis, avant l'atrocité, accordez une faveur : n'imaginez Solibo Magnifique qu'à la verticale, dans ses jours les plus beaux. Cette parole ne se donne qu'après l'heure de sa mort —— tristesse, mi ! —— et même pas dans un dit de veillée, auprès de son corps parfumé aux bonnes herbes. Se figurant un crime, la police l'a ramassé comme s'il s'agissait d'une ordure de la vie, et la médecine légale l'a autopsié en petits morceaux. On a découpé l'os de sa tête pour briguer le mystère de sa mort dans sa crème de cervelle. On a découpé sa poitrine, on a découpé ses poumons et son cœur. Son sang a été coulé dans des tubes de verre blanc, et, de son estomac ouvert, on a saisi son dernier touffé-requin. Quand Sidonise le reverra, aussi mal recousu qu'un jupon de misère... roye ! comment dire cette tristesse qu'aucune brave ne peut laisser noyer ses yeux ?... C'est pourquoi, ô amis, avant ma parole je demande la faveur : imaginez Solibo dans ses jours les plus beaux, en vaillance toujours, avec le sang qui tourne, le corps planté dans la vie en poteau d'acacia dans une boue dangereuse. Car, si de son vivant il était une énigme, aujourd'hui c'est bien pire : il n'existe (comme s'en apercevra l'inspecteur principal au-delà de l'enquête) que dans une mosaïque de souvenirs, et ses contes, ses devinettes, ses blagues de vie et de mort, se sont dissous dans des consciences trop souvent enivrées.

À terre dans Fort-de-France, il était devenu un Maître de la parole incontestable, non par décret de quelque autorité folklorique ou d'action culturelle (seuls lieux où l'on célèbre encore l'oral) mais par son goût du mot, du discours sans virgule. Il parlait, voilà. Sur le marché aux poissons où il connaissait tout le monde, il parlait à chaque pas, il parlait à chacun, à chaque panier et sur chaque poisson. S'il y rencontrait une commère folle à la langue, disponible et inutile, manman ! quelle rafale de bla-

bla... Au billard de la Croix-Mission, au vendredi du marché-viande à l'arrivage du bœuf, sur le préau de la cathédrale après la dévotion, au stade Louis-Achille tandis que nous assassinions l'arbitre, Solibo parlait, il parlait sans arrêt, il parlait aux kermesses, il parlait aux manèges, et plus encore aux fêtes. Mais il n'était pas un évadé d'hôpital psychiatrique, de ces déréglés qui secouent la parole comme on se bat une douce. Au *Chez Chinotte,* sanctuaire du punch, on s'assemblait pour l'écouter alors que pas un cheveu blanc n'habitait sur ses tempes, et le tafia n'avait même pas encore rougi ses yeux (seul le premier jaune sale avait touché le blanc) qu'un silence accueillait l'ouverture de sa bouche : par-ici, c'est cela qui signale et consacre le Maître.

J'aurais voulu pour lui d'une parole à sa mesure : inscrite dans une vie simple et plus haute que toute vie. Mais, autour de son cadavre, la police déploya la mort obscure : l'injustice, l'humiliation, la méprise. Elle amena les absurdités du pouvoir et de la force : terreur et folie. Frappé d'un blanc à l'âme, il ne me reste plus qu'à en témoigner, dressé là parmi vous, maniant ma parole comme dans un *Vénéré,* cette perdue nuit de tambour et de prières que les nègres de Guadeloupe blanchissaient en souvenir d'un mort. Mais, amis ho ! devant ces policiers gardez les dents à l'embellie, car, ainsi le pense René Ménil * dans une écriture, c'est par le rire amer qu'une époque se venge de ceux qui encombrent tardivement la scène, et se sépare d'eux, en espoir, avant leur mort réelle.

Donc, fatale soirée : après les défilés, la foule s'était répartie dans les bals populaires (grajés-jounous, touffé-yinyin, zoucs et autres macha-pias...) que Carnaval sème à son heure depuis les herbes de Balata jusqu'aux cases du quartier Texaco. Dans l'air du centre-ville ne subsistait plus que la cendre des joies, et sur les mornes lointains des tambours ka syncopaient leurs battements. Sous les tamariniers de la Savane, grand-place de liberté végétale, les amateurs du jeu serbi avaient enflammé des dizaines de flambeaux et hurlaient leurs paris en échangeant des dames-jeannes de tafia. D'autres nègres, moins débridés, priaient silencieusement la sainte Madone de la Jossaud à propos de l'énigme d'une carte noire parmi des rouges, ou des salopes hésitations d'une boule de casino-tonneau. Il faut dire, pour finale du décor, le gravier d'étoiles au ciel, l'haleine aigre-douce des tamarins, et la cacophonie des marchandes de toutes qualités.

Son tambour à l'épaule, le musicien qui d'habitude accompagnait les parlers de Solibo Magnifique arriva dès les premières ombres et

* Philosophe d'ici-là.

s'installa sous le plus vieux des tamariniers, auprès du monument aux morts. C'était un rien d'homme, dessiné par ses os, avec le cou blanchi d'une dermatose ancienne, il se criait Sucette. Ce surnom provenait de ses attentions buccales notoires aux bouteilles du rhum Neisson. Par douze tak-tak sonores et deux-trois grondements de son tambour gros-ka, Sucette convoqua une compagnie sous la lumière de son flambeau. Flap, et même plus vite que flap, délaissant les tables de jeux, un auditoire s'était formé, avide déjà de l'apparition de Solibo Magnifique : toute parole du vieux conteur, rare ces temps-ci, était bonne à entendre. Il va venir, Sucette ?... Où il est ho ? tu crois qu'il va venir ?... Ces impatients ne pouvaient deviner qu'un moment plus tard, la police inscrirait leur nom dans un procès-verbal, ni même ne soupçonnaient qu'en certaines circonstances et au nom de la Loi de simples écoutants de contes-cricraks devenaient des *témoins*.

(Liste des témoins.
Extraite du rapport d'ensemble d'enquête préliminaire remis par l'inspecteur principal au commissaire divisionnaire.

– Zozor *Alcide-Victor*, commerçant, demeurant 6 rue François-Arago.

– Éloi *Apollon,* surnommé Sucette, se disant tambourier de cricracks, en réalité sans profession, sans domicile fixe.

– Le surnommé *Bête-Longue* (des recherches concernant l'état civil de cet individu sont en cours), se disant marin-pêcheur, très certainement sans profession, demeurant à Texaco, près de la fontaine.

– Lolita *Boidevan,* surnommée Doudou-Ménar, vendeuse de fruits confits, demeurant au Pont-Démosthène, après le grand canal, derrière la ravine.

– Patrick *Chamoiseau,* surnommé Chamzibié, Ti-Cham ou Oiseau de Cham, se disant « marqueur de paroles », en réalité sans profession, demeurant 90 rue François-Arago.

– Richard *Cœurillon,* se disant employé d'usine (?),

très certainement sans profession, demeurant à Château-Bœuf, dans la première descente.

– Bateau *Français*, surnommé Congo, fabricant de râpes à manioc (?), très probablement sans profession, demeurant quartier La-Belfort, Lamentin.

– Charles *Gros-Liberté*, surnommé Charlot, se disant musicien, en réalité sans profession, demeurant rue du 8-Mai, cité Dillon.

– Justin *Hamanah*, surnommé Didon, se disant maître-djobeur au marché aux légumes, en réalité sans profession, demeurant 10 rue Schoelcher, Terres-Sainville.

– Conchita *Juanez y Rodriguez*, de nationalité colombienne, sans profession, fichée comme se livrant à la prostitution, sans domicile fixe.

– Antoinette Maria-Jésus *Sidonise,* marchande de sorbets, demeurant rue des Abymes, Trénelle.

– Pierre Philomène *Soleil,* surnommé Pipi, se disant maître-djobeur, en réalité sans profession, demeurant à Rive-Droite-Levassor.

– Sosthene *Versailles,* surnommé Ti-Cal, employé municipal, demeurant rue de la Liberté prolongée, Volga Plage (connu comme indépendantiste).

– Édouard *Zaboca,* surnommé la Fièvre, se disant ouvrier agricole, en réalité sans profession, demeurant à Gondeau, Lamentin.

Ces témoins ont été entendus par le brigadier-chef, Philémon Bouaffesse, *puis par moi-même,* Évariste Pilon. *Leurs auditions, ainsi que les incidents regrettables qui les ont accompagnées, font l'objet des procès-verbaux joints.*)

An ! Solibo Magnifique était arrivé en achevant une pirouette. Moustaches en touffe, barbiche balai-coucoune à la pointe du menton, il avait les yeux jaune-rouge des experts en tafia. Sa chemise de nylon blanc portait des manchettes en or, ouï, et des serre-manches argentés. Son pantalon-tergal, escampé à mort, tombait pile sur des santiagos vernis : ah, Solibo méritait encore l'autre morceau de son nom !... Il avait soulevé son petit chapeau pour saluer l'auditoire : Messieurs et dames si je dis bonsoir c'est parce qu'il ne fait pas jour et si je dis pas bonne nuit c'est auquel-que la nuit sera blanche ce soir comme un cochon-planche dans son mauvais samedi et plus blanche même qu'un béké sans soleil sous son parapluie de promenade au mitan d'une pièce-cannes é krii * ?...

— É kraa ! avait répondu la compagnie.

Alors-isidore, tandis qu'au loin les rumeurs s'épuisaient, le Maître de la parole avait parlé parlé inoculant à l'auditoire une fièvre sans médecine. Il ne s'agissait pas de comprendre le dit, mais de s'ouvrir au dire, s'y laisser emporter, car Solibo devenait là un son de gorge plus en voltige qu'un solo de clarinette quand Stélio le musicien y engouffrait son souffle.

Toute la nuit, le vocal avait tonné. Prouvant au Maître de la parole leur vigilance, les écoutants

* Voir en annexe une tentative de restitution des paroles de Solibo durant cette nuit fatale.

avaient répondu le *É kraa!* avec force. Le *Misticraa!* avait sonné comme la passe des soufflants d'un orchestre latino. À l'heure où le ciel pâlit et qu'un vent brumeux annonce le petit jour, Solibo Magnifique avait hoqueté dans un virage de la parole. Puis, sans pourquoi ni comment messieurs et dames, s'était écrié : *Patat' sa!...* (Or, *Patat' sa!* n'existe pas dans le cricrack. Le conteur dit *É krii,* demande *Misticrii,* interroge pour savoir si *la cour dort, souplé ?...*, appelle son tafia, un accord du tambour, mais ne hèle jamais *Patat' sa!...*) Pourtant à ce cri de souffrance, la compagnie avait répondu *Patat' si!*, tant il est vrai qu'en matière de sottise les meilleurs candidats ne se trouvent pas toujours dans les troupeaux de moutons.

Sous l'égorgette, il avait glissé dans les racines. Son regard élargi semblait poursuivre l'envol du conte. Une main à la gorge, l'autre à hauteur du visage, il demeurait saisi comme un vieux nègre présenté au bonheur tandis que sa sueur poursuivait ses descentes. Maintenant, à y penser de loin, il est sûr que le feuillage du tamarinier avait gémi, et que les chauves-souris nous avaient alertés en frôlant trois fois le flambeau de Sucette. Néanmoins, béate comme une chique-chien dans un pied de malpropre, la compagnie avait patienté, d'autant plus patienté qu'une dame-jeanne de tafia s'offrait à la moindre soif et que le tambouyé, soutenant ce qu'il croyait être un mime improvisé du Maître de la parole, déterrait du tambour un léwoz caverneux : yeux en absence, Sucette avait quitté sa chair pour investir le ka, ou alors le ka lui bourgeonnait au ventre. Une vibration fondait l'homme au baril, et le corps de Sucette ronflait autant que la peau de cabri. Sa bouche mâchait silencieusement les fréquences du tambour. Son talon sculptait les sons. Il utilisait les mains supplémentaires que les tambouyés recèlent, elles virevoltaient dans des échos de montagne, des brisures cristallines, une galopade de vie sur la terre amplifiante des tracées en carême, communiquant à qui savait entendre (qui s'était mis en état de liberté devant ce phénomène) l'expression d'une voix au timbre rhumier, surhumaine mais familière : *Oh ! Sucette parlait là, oui...*

Autour de nous, les flambeaux s'étaient consumés. Dans la Savane éteinte Carnaval cueillait les restes de sa joie : un dé qui tinte, une carte qui se froisse, un rire de femme-matador dont on travaille la chair *... Au ciel pâlissant, nuit et jour se mélangeaient dans un rituel de rosée, de brumes et de vents glacés. La dame-jeanne, séchée comme une pierre ponce, gisait près de l'assemblée à l'écoute du tambour. La froidure avait provoqué des paquets de Mélia, Gauloises, et autres qualités, et les visages s'éclairaient de la lueur des mégots. Quelquefois, une plainte de

* À la verticale.

ka forçait au frémissement les larges ailes de nez, couvrait de paupières le vide sombre des regards. Les écoutants s'étaient assis par terre ou s'étaient accroupis. Certains utilisaient comme tabourets des bombes de beurre margarine, des débris de caisses, des roches. Il y avait des femmes (trois ou quatre ?), mais leur visage restait en nuit car elles ne fumaient pas, de vagues éclats d'anneaux créoles signalaient leur sihouette. Sucette poursuivait son cirque en puisant peut-être son énergie dans la fatigue. À ses côtés, entre les racines tortueuses, Solibo gisait. Sa chemise en nylon avait jauni de sueur et moulait son corps sec, une des manchettes en or avait cédé, libérant la manche en pliures jusqu'au coude. Les jambes du pantalon s'étaient relevées aussi, comme en prévision d'une pluie de décembre. On distinguait ses jambes fines, leurs poils enroulés (à dire des grains de poivre), l'accordéon de ses chaussettes, l'éblouissement oh la la des santiagos vernis. Les tamarins tombaient parfois, mais le son du tambour étouffait leur tak-tak. De même, le vent léchait les feuilles sans que l'on puisse l'entendre. Comme des nègres volants, les chauves-souris regagnaient l'arbre, disparaissaient dans le feuillage, ravivant l'odeur sure des tamarins qui s'apaisait avec l'approche du jour. Il n'y avait plus d'échos du carnaval. Fort-de-France dans le lointain avait pris son sommeil, rien ne bougera plus jusqu'à l'annonce solaire car

Solibo, même si Sucette sonna le ka, ne bougea pièce, non.

La scène s'éternisa ainsi —— et aurait pu s'éterniser encore : un auditoire tafiaté, assis en rond dans un petit matin, ne s'inscrit pas dans l'éphémère. Donc, au bout d'une éternité (soit trois heures trente-huit minutes et vingt-deux secondes, au dire de la médecine légale), un vieillard basaltique quitta l'assemblée et prit-venir vers Solibo. Il s'appelait Congo et semblait, de la mort, débiteur de quatre siècles. Penché au-dessus du corps, il avait soulevé son bakoua et se grattait la laine blanche du crâne. Tête en avant, genoux pliés, fesses en pointe, une main posée sur la charnière des reins, il semblait pétri du doute de ces vieux nègres agonisants, tout de même inquiets d'une filature de la déveine. Au moment où l'on ne s'y attendait plus, Congo se redressa —— ahuri : Iye fout ! hanmay halansé tÿou hot la hou hay dégawé mèdsin, mi Ohibo la ha hay an honjesion anlê noula !... —— Hein, que dis-tu ? —— Oh, Congo déraille : il prétend que Solibo est en train de mourir, qu'il lui faut un médecin... Quand le vieillard parvint à se faire comprendre, la compagnie s'électrisa. Sucette bondit de son instrument vers le corps du Maître. D'autres, inidentifiables dans la confusion et le noir, se rapprochèrent en bousculade : Hein quoi quoi quoi qu'est-ce qui lui arrive ?... Sucette hurla, déclenchant chez les femmes l'émotion criarde qui généralement sonorise les descentes de la mort. Solibo ! Solibo lévé là ! hurlait Sucette, Solibboo !... Le brandon du flambeau inutilisable, l'on éclaira avec des débris dont les lueurs sporadiques agitaient les ombres. Tout semblait en désastre Césairien, étonnements et douleurs réveillaient la Savane. Crabes, rats, bêtes-longues se battaient pour les abris des trous. Se croyant prises d'assaut, les chauves-souris s'abîmaient dans le ciel d'avant l'aube. L'auditoire empressé autour de Solibo piétinait les racines, s'étageait aux épaules, conseillait la médecine que par ici chacun ramène de ses luttes contre la mort. On cita le quinquina qui allume les gens éteints, le suc de l'aloès ou de tabac-jacquot, l'infusion de graines-job, l'absinthe anglaise, le jus de roucou qui flagelle le sang. On invoqua la dose de l'épineux jaune, la banane verte boucanée au miel, la pierre noire de Trinidad sur laquelle nous pleurons tous, et, pour dire comme la situation semblait désespérée, l'impériale herbe-à-tous-maux mélangée à la griffe-chatte (souveraine et terrible).

Ceux qui pouvaient toucher le corps n'écoutaient pas, ni pour entendre-ni pour comprendre, cette médecine en bouche. Ils tentèrent d'asseoir Solibo entre les racines mais l'amorce de rigidité cadavérique (qu'ils confondirent avec une résistance du Maître) les en empêcha. Alors ils lui déboutonnèrent la chemise tandis qu'on l'éventait avec son chapeau. Ils le giflèrent, puis lui desserrèrent la ceinture dans l'espoir d'une respiration. Ils lui enlevèrent les chaussures, lui frictionnèrent les oreilles. Un, reproduisant une scène de film policier, lui souffla dans la bouche. Un autre le chatouilla. Un autre encore lui martela la poitrine à l'endroit du cœur comme on l'avait pratiqué à sa femme lors d'un accouchement difficile. À mesure qu'ils percevaient la raideur progressive de Solibo, le froid de sa chair, la curieuse fixité de ses yeux, ils ralentissaient leurs soins, doutaient en regardant leurs mains. La réalité s'imposa pour certains avant même d'être clairement formulée : ils s'enfuyaient, en épouvante silencieuse, abandonnant nos futurs témoins, quatorze nègres, dont trois madames, tous certainement imbéciles tant il est notoire qu'avec un mort la loi s'en mêle, et qu'alors-hector ta vie devient une manière de la danse haute-taille (celle où tu bouges aux ordres d'un commandeur).

Le tumulte s'est posé. Une rumeur de feuillage peuple le silence. Les tamarins qui lâchent prise s'écrasent sur l'herbe miteuse tak-tak. Adossé au tronc, Sucette ressemble à un sac vide, ses bras pendent comme des cheveux de couli et son visage n'a pas plus de sens qu'une roche de rivière. Congo, l'immortel, s'est assis sur une caisse, impassible mais probablement remué de voir rôder la mort, sa trop vieille créancière. Tak-tak de temps en temps, grimpant au ciel comme un voleur, l'arbre tressaille et se tait. Les blancheurs fantomales du monument aux morts troublent le feuillage d'encre du petit bois. Là-bas, à gauche, après un restant de Savane, la ville réapparaît sous l'éclairage public : une avenue qui longe un vertige d'étoiles et de scintillements d'eau, la mer. Doudou-Ménar (grosse femme, vendeuse de fruits confits) chuchote chuichui aux oreilles d'une superbe créature, Conchita Juanez y Rodriguez. Hébétée, Antoinette Maria-Jésus Sidonise tient sa sorbetière à bout de bras, ses yeux s'alarment sur une détresse interne et elle bat des paupières comme pour les apaiser. C'est une petite femme, avec la chair et les rondeurs de la quarantaine, tout en fragilité, en finesse enfantine. Elle regarde Solibo comme une qui se trouverait en vertige à l'abord d'une crevasse, et, parfois, elle secoue furieusement la tête, presque chatte s'ébrouant d'une vieille eau de cauchemar. Les autres ne disent rien, sculptés autour d'elle dans la surprise.

— On aurait dit qu'il est mort, s'inquiète un chabin rouge.
— Nonn ! les gens ne meurent pas comme ça...
— Et comment on meurt, han ?
— Pas comme un fruit doux qui tombe...
— Ha lan-ô yé ? (Qu'est-ce que la mort ? ——— Là, c'est Congo qui parle, et qui doit répéter quatre fois sa question car sa manière de dire la langue est en disparition par ici.)
— On ne sait pas ! En tout cas, c'est pas le jour

même où tu manges de la terre que tu meurs enflé : si Solibo est mort, ça couvait depuis longtemps, plus longtemps que maintenant...

— Solibo est mort, alors ? (Là c'est Sucette qui s'inquiète.)

— Si son rhum de carnaval a rencontré le chocolat de son baptême cela peut seulement l'avoir étourdi... comment savoir ?

— An Kay chaché an jan mèdsin !... (Là, c'est Doudou-Ménar qui tranche à la recherche d'un médecin.)

— Un docteur ? Ah oui, un docteur peut le réveiller !... (C'est Sucette qui approuve là.) Va le chercher, ma fi !

— Ha lan-ô yé ?

— Paix-là, Congo ! Solibo n'est pas mort car on ne meurt pas comme ça (s'y refuse Sidonise).

— Comment on meurt, han ?

(Et cætera...)

Tandis que Doudou-Ménar s'éloignait, la discussion (à voix basse et respectueuse) tourna et retourna et détourna comme un manège sans chacha, autour des modalités d'unc mort convenable. On frôla des infinis de la pensée et des questions fondamentales. Congo profitait des silences pour glisser avec son accent de nègre originel : Ha lan-ô yé ? ha lan-ô yé ?..., question à laquelle personne n'accordait hak mais qui, certainement, servait de planche d'appel aux pensées vertigineuses. Au bout d'une longueur de silence, Congo revint au corps de Solibo et, dans un affolement de ses rides, posa le diagnostic utilisé comme ouverture de cette parole : Méhié é hanm, Ohibo tÿoutÿoute anba an hojèt pahol-la !... Ce qui, traduit, peut vouloir dire : Messieurs et dames, Solibo Magnifique est mort d'une égorgette de la parole...

L'assurance du vieillard découragea les répliques. La compagnie éleva une maçonnerie de silence devant la vérité ainsi formulée. Seule ressource désormais : attendre le médecin que Doudou-Ménar s'en était allée quérir, et soutenir Solibo d'une tristesse immobile. Nous étions comme des yoles échouées sur des cayes : la rivière, la vie, continuait sans nous. On se regardait par en dedans, en une sorte de voyage fixe à travers nous-mêmes. *Ho, les yeux de Solibo !...* Sidonise avait tendrement ramené ces paupières envolées, du bout des doigts, puis avec les paumes, enfin avec les pouces humectés de ses larmes, mais Solibo conservait ce regard qui voit le monde sous d'autres dimensions. Le voir, là comme ça, paquet de linge sale dans une touffe de racine, nous afflige : où est la photo-kodak qui n'a pas été faite de sa vie verticale, du temps où sa parole enveloppait les cadavres veillés, terrassant l'angoisse des nuits mortuaires. Il captivait les compagnies au rythme de ses gestes, baillant la parole non plus dans l'assemblage évanoui des veillées traditionnelles, mais dans les refuges des nègres d'antan, des nouveaux nègres-marrons, des nègres perdus, des nègres abandonnés, à mauvais genre et en rupture de ban. Il ne venait sous les tamariniers de la Savane qu'avec le carnaval et de manière irrégulière. Comme l'ambiance s'y prêtait, Sucette y profilait la voix de son ka sous la parole du Maître... ho, toujours la classe du geste et du corps, une élégance de filao sous un vent léger. Je l'avais connu durant mes fréquentations du marché en vue d'un travail sur la vie des djobeurs *. À force de patience, j'avais fait admettre mes cahiers, mes crayons, mon petit magnétophone à piles qui ne fonctionnait jamais, mon appétence malsaine pour les paroles, toutes les paroles, même les plus inutiles. Pour me dissimuler, je rendais quelques menus services de-ci de-là, charroi d'ordures, nettoyage de légumes, recherche des pièces de cinq centimes indispensables à la souplesse rituelle du marchandage des prix. Ma recherche avançait d'autant plus mal que j'avais de fréquentes crises d'asthme et qu'il m'était impossible de me souvenir de mon plan de travail. J'errais donc entre les établis, les brouettes de djobeurs et les fruits de saison, délabré parmi les délabrements, hagard des écritures et des notes fantomatiques que je m'obstinais à prendre. Tout le marché me connaissait, depuis la moindre des vendeuses de mangots jusqu'aux reines sombres, sévères et silencieuses, qui étalaient leurs tisanes magiques et leurs herbes-à-pouvoir, si bien que les conversations ne s'éteignaient

* Voir *Chronique des sept misères*, Éd. Gallimard.

plus sur mon passage et que nul ne me posait plus, en guise de bonjour : Alors Ti-Cham, écrire ça sert à quoi ?... Prétendu ethnographe, je vivais sans plus de distance l'engourdissement des heures chaudes en m'affalant dans les brouettes comme les djobeurs, ou me figeant, debout, assis, tel que l'instant me surprenait, à la manière des vieilles marchandes qui attendent ainsi le retour d'un vent frais. Aux heures de fièvre des midi et du samedi matin, je criais, gesticulais ainsi que tout le monde, sortant mon créole et mes gestes larges, m'affairant sur d'indécelables urgences, sans même plus me soucier d'entendre, de scruter et de comprendre la vie de l'alentour, ou même, ô tristesse, ce que je griffonnais en tromperie du remords. J'avais beau, durant mes éclaircies lucides, m'imaginer en *observation directe participante*, comme le douteux Malinowski, Morgan, Radcliffe-Brown, ou bien Favret-Saada chez ses sorciers normands, je savais que nul ne s'était vu dissoudre ainsi dans ce qu'il voulait rigoureusement décrire. Je n'étais plus dans ce marché qu'une sorte de parasite, en béatitude stérile, dont les notes s'apparentaient (et *s'apparentent* puisque aujourd'hui encore je n'y comprends hak) aux armes miraculeuses des chantres surréalistes.

Mystère sur mon devenir si le personnage de Solibo Magnifique n'avait réveillé ma vieille curiosité, me permettant ainsi, à travers lui, de retrouver une logique d'écriture, sans pour autant, hélas, parvenir à réparer cet isalop de magnétophone dont l'enregistrement depuis mon arrivée ne s'intéressait qu'à son propre souffle trop clairement bronchitique. Solibo m'aborda un matin, avec comme bonjour la question épuisée : Chamzibié ho, écrire ça sert à quoi ?..., puis il me parla de tout et de rien, de la parole et du reste, sans même reprendre son souffle il me raconta l'origine du marché, dix-sept contes indéchiffrables, il me donna des nouvelles (que je ne demandais pas) du capital santé de marchandes gâteuses, puis il me parla de charbon, d'ignames, d'amour, de chansons oubliées et de mémoire, de mémoire. Cette énergie verbale me séduisit là même, d'autant que Solibo Magnifique utilisait les quatre facettes de notre diglossie : le basilecte et l'acrolecte créole, le basilecte et l'acrolecte français, vibrionnant enracinement dans un espace interlectal que je pensais être notre plus exacte réalité sociolinguistique. Je ne le quittai plus durant cette saison où on le vit encore parmi les étals, notant ses dires, étudiant ses silences, stupéfait toujours de sa curieuse audience : arcane d'indifférences et d'attentions, une partie du marché ralentissait à son écoute (d'antiques Syriens quittaient leur devanture, et de vieilles immortelles tendaient leur bonne oreille, approuvant de la tête chaque syllabe de ses mots), l'autre ne l'entendait pas. L'excitation me possédait. J'accumulais des notes derrière des notes et des nuits fiévreuses à les remettre au propre, avec la rage prémonitoire d'un en lutte avec le temps : les conteurs étaient rares, j'en avais trouvé un.

Mais un jour Solibo disparut du marché, disparut de partout sans que personne ne s'inquiète du silence de sa voix : le marché n'était que bruits !... Tel ou telle l'avait vu, à tel coin, à telle heure... J'abandonnai ma molle poursuite, repris par mon asthme, mes djobeurs, ma somnolence. Alors le retrouver là, parmi les racines, sa belle couleur terre fraîche cendrée de malédiction, comment ne pas être pétrifié en compagnie des autres ?... Aux abords du feuillage, des merles sans doute obituaires chassaient la nuit de leurs plumes. Tout était clair et grisâtre comme sur un mur de cimetière, et nous nous découvrions : Sucette, flapi et absent, accroché à son ka comme à un jupon de manman, à croire qu'il naviguait en l'autre bord avec Solibo ; Zozor Alcide-Victor, le bâtard syrien, homme à femmes et grand zouqueur, il plissait les paupières sous la fumée de sa marijane, et semblait battre aussi du côté d'un horizon ; Pipi, Didon, maîtres-djobeurs au marché aux légumes ; Gros-Liberté, saxo en dérade depuis que son orchestre avait coulé, il réglait bouche ouverte un désagrément avec le rhum ; Ti-Cal, chauffeur à la mairie, militant du Parti progressiste martiniquais, il avait posé sa tête sur ses genoux et semblait travailler un sommeil ; Sidonise, la marchande de sorbets, et Conchita, la Colombienne, debout un peu à part, tenaillée entre l'envie de voir la suite et celle de rentrer à case ; Congo, Zaboca, Bête-Longue et Cœurillon, côte à côte, yeux déménagés, bouche en rond ; et moi-même pris dans une impossibilité, de mise entre parenthèses. Au loin, quelques silhouettes d'éboueurs s'essayaient à la vie, mais nous, baignés d'une lueur crémeuse, nous espérions Doudou-Ménar, plus fixes et opaques que des nègres de Faulkner.

Doudou-Ménar, elle, conforme à sa nature, s'était mise en action. Pour vitesser, elle avait coincé son panier de chadecs au creux du coude et plaquait d'une main son bakoua aux ailes larges. Ses gros seins tressautaient comme des sacs de sel sur un dos de mulet, mais la grosse ne s'en occupait pas (jamais trop lourds pour une poitrine, ces choses-là ne tombent pas, non). Elle courait-courait sans trop savoir vers où, Solibo était-il mort ou pas mort ? et s'il était seulement soûl, à dire un Mexicain dans un western-django ? qui va pouvoir trouver un docteur à terre dans Fort-de-France alors que le soleil n'a pas encore pointé ?... mais elle déployait dans sa course toute l'énergie que n'avait pas pu vaincre sa journée épuisante : réveil au chant de l'oiseau-pipiri, chadecs à échauder, la case à balayer avant de réveiller le fils Gustave (un inutile, ma chère, qui s'habille Pierre Cardin pour aller chanter en espagnol dans un orchestre à soufflants où d'autres inutiles s'imaginent latinos), et vente de fruits confits à la faveur des fêtes, manière de pouvoir calotter les dettes du haut d'un porte-monnaie garni. Son homme, père de Gustave, avait disparu de la circulation, fourré dans une bombance dont il n'émergerait qu'après le carnaval, mais avec les graines vides et le muscle tout mol. Sur la Savane, Doudou-Ménar avait affronté au plus tôt la sévère concurrence des marchandes-gâteaux, docounes, sorbets ou bien quilibibis... Une journée à monter, à descendre, à talonner une foule de spectateurs ballottée par des macaqueries de nègres déguisés. Vers la fin de l'après-midi, son panier s'était seulement vidé de moitié et son chapelet bénit protégeait dans sa bourse moins de sous qu'espéré. Les varices de ses jambes par contre avaient gonflé. Dans les éclats du vaval finissant, elle avait dû adopter une allure de tortue dominicaine, avec des haltes à chaque arbre et aux angles des rues, et solliciter dans la nuit le peuple du jeu sous les flambeaux, toute une faune somnambule qui investissait l'ombre des pieds-tamarins. C'est au bout d'une fatigue que la Grosse, affalée sur une racine, avait perçu le tambour de Sucette, les mots du Magnifique, et s'était précipitée comme nous-mêmes à l'abri de sa voix. À présent, pour sauver Solibo, elle se précipitait toujours au mitan de la nuit, en une course insensée dont le chemin ne se trouva que par ce regrettable souvenir : la police, hélas, contrairement aux médecins, à Chinotte ou aux magasins syriens, ne ferme jamais ses dangereux guichets.

C'est pourquoi, depuis sa permanence, le gardien de la paix Justin Philibon, qui abritait son sommeil sous un registre de main courante, vit Doudou-Ménar s'envoler vers lui : La Loi! appelle la Médecine, y'a Solibo qui se débat sur la Savane... tu m'entends, la Loi ?... Fort de ses six ans d'expérience, de son brevet de capacité technique, sésame pour le tableau d'avancement et le grade de brigadier, Justin Philibon posa l'index de sa main droite sur sa joue droite, étala sa main gauche sur le comptoir, et darda sur Doudou-Ménar le regard qu'il croyait être celui de la justice. Comme toutes celles de carnaval, sa permanence avait été fiévreuse : sept rhumiers cueillis par la ronde, trois rastas dont le motif d'inculpation était encore à l'étude, un vieux-corps sénile chercheur du bateau Colombie, un quimboiseur qui profanait une tombe, et puis, bien entendu, l'inépuisable afflux des victimes balafrées pour des affaires de regards, de querelles au serbi, de concubinages où l'amour s'agrémentait en toute éternité de brûlures à l'acide... Avec seulement son masque de justice impériale et sa manière officielle de déboucher un waterman au-dessus du registre, Justin Philibon avait calmé ces excités. Mais là, devant Doudou-Ménar vociférante : Je te dis que Solibo se débat dans une malchanceté et toi tu restes devant moi à ainsi dire un papillon barré par la lumière ! tu m'entends, la Loi ?..., il a les nerfs qui donnaient comme une peau de tambour. Madame, je suis gardien de la paix, la loi c'est un autre butin, ça se fait en France, voyez-vous. Donc, commence par vous calmer et envoie sur moi vos nom, prénom, adresse et qualité... Enfin, expliquez-moi ce qui te fait faire de gros sauts comme ça... Ce disant, il fixait Doudou-Ménar, rabattait la couverture du registre, se léchait un index, tournait une page puis une autre au rythme de son français huilé. Car, brodait-il, c'est pas comme ça Mââme, vous êtes ici chez la police et pas au marché-poissons, y'a l'officialité, y'a le règlement, y'a le code de principe pénal et un tas de machins comme ça, tu comprends s'il vous plaît ?... ——— Solibo va mourir, je te dis ! crachait l'Énorme en levant les yeux au ciel, insensible aux beautés procédurières. Alors Justin Philibon se gonfla soudainement : C'est un cirque que tu es venue faire ici-là, ou quoi ?... Du coup, dans l'hôtel de police qui paraissait abandonné, des portes s'ouvrirent, le hall se remplit de silhouettes bleues, pâles et foncées, avec des tintements de clés, des claquements de ceinturons. Des hommes, silencieux et lents, s'alignèrent derrière le guichet, au dos de Justin Philibon, d'autres barrèrent discrètement la sortie et marquèrent Doudou-Ménar tel un avant-centre de football. La Grosse perçut la manœuvre mais, au lieu de s'en inquiéter sainement, sembla y prendre plaisir étrange. Chez cette majorine, tout signe de menace, résonance d'estomac, déclenchait un désir de massacre. Elle toisait déjà les policiers avec des yeux caillés de haine. Inquiétante, ventre rond mais dur, jambes écartées tordant les chaussures violettes, les bras ramenés aux hanches comme des ailes de chauve-souris, elle rayonnait tout simplement d'une sauvagerie d'écorce.

Les hommes de loi sont griffés par cette audace. Justin Philibon referme son waterman avec une lenteur inquiétante. Ceux qui peuplaient l'arrière du comptoir en sortent, toujours silencieux. Les sentinelles de la porte libèrent les taquets de caoutchouc, les battants de fer claquent. Deux-trois déposent casquettes, calots, montres, sur le guichet. D'autres enlèvent des ray-ban. Certains, à la façon des gros nègres, déboutonnent leur chemise pour ne pas risquer un bouton, et remontent leur pantalon avec leurs avant-bras. La ronde se resserre autour de Doudou-Ménar qui maintenant ressemble à une chienne folle. Une ombre primitive obscurcit les regards. Alors qu'un silence furieux fait vibrer les couleurs jusqu'au blanc aigu, Justin Philibon lance une clé vers le bras gauche de la Sauvage. Il en a l'expérience, cette prise est imparable. A-a ! la grosse marchande extirpe de ses rondeurs une vivacité de serpent jaune. La prise de Justin Philibon est déraidie comme une figure de pénitente au moment de l'hostie. Ses avant-bras sont empoignés, pressés jusqu'au craquement des os, une force souveraine le décolle, il tournoie de manière hallucinante au niveau du plafond. Là même, c'est l'assaut ! Doudou-Ménar gagne les hauteurs du guichet de permanence. Assaillie aux jambes, torturée aux varices, elle s'écrase bientôt sur la meute légale. Ses seins s'abattent, plus destructeurs que des sacs de graviers. Cahiers, montres, dents, stylos, machine à écrire prennent l'envol. Fruits confits, panier, chaussures violettes voltigent et volent. Sept-dix sont cognés entre eux, vraies calebasses en panier, et s'en vont sillonner d'invisibles labyrinthes. Au verrou de ses aisselles des crânes hèlent d'angoisse comme des marins-pêcheurs quand le large les surprend au cyclone. Les hommes de loi appliquent vainement leurs techniques meurtrières contre sa graisse vitaminée à l'igname et aux choux durs. Quarante années de déveine ont solidifié ses muscles, assaisonné sa hargne, et, sous la tenaille de ses bras ou de ses dents, la horde policière tout soudain langoureuse perçoit l'obstination assassine des méchancetés sans horizon.

(Solibo Magnifique me disait : « ... Oiseau de Cham, tu écris. Bon. Moi, Solibo, je parle. Tu vois la distance ? Dans ton livre sur Manman Dlo *, tu veux capturer la parole à l'écriture, je vois le rythme que tu veux donner, comment tu veux serrer les mots pour qu'ils sonnent à la langue. Tu me dis : Est-ce que j'ai

* *Manman Dlo contre la fée Carabosse,* Éd. Caribéennes.

raison, Papa ? Moi, je dis : On n'écrit jamais la parole, mais des mots, tu aurais dû parler. Écrire, c'est comme sortir le lambi de la mer pour dire : voici le lambi ! La parole répond : où est la mer ? Mais l'essentiel n'est pas là. Je pars, mais toi tu restes. Je parlais, mais toi tu écris en annonçant que tu viens de la parole. Tu me donnes la main par-dessus la distance. C'est bien, mais tu touches la distance... »)

De son bureau où il auditionnait trois rastas avec l'espoir qu'ils se trouvassent eux-mêmes quelque motif d'inculpation, le brigadier-chef Philémon Bouaffesse avait perçu une rumeur de marché-aux-poissons-vers-midi-moins-le-quart. Il délaissa les rastas pour lever un sourcil. Yeux mi-clos, deux doigts mobilisés au-dessus de la machine, le brigadier-chef conclut sa laborieuse enquête auditive par une inattendue fulgurance : il se passait un ouélélé dans le hall ! S'il avait été un fruit c'eût été le piment naturellement attiré par toutes les sauces. Renvoyant ses rastas au local de Sûreté avec d'autant plus d'empressement qu'ils avaient un domicile fixe, ne fumaient pas de marijane et semblaient n'avoir porté les locks qu'à la faveur du carnaval, notre homme gagna le hall du pas léger d'un chef qui veut surprendre une faute. À la vue du bankoulélé autour de Doudou-Ménar, il ne manifesta sa surprise que par une de ses expressions favorites, celle qui, rebelle à toute traduction, associe vertigineusement les sommets et les abîmes philosophiques :

— Andjèt sa, pito !

Fils de Stéphanise Laguinée et de Pierre-Jacques Gros-Désors, il portait le patronyme d'un nommé Bouaffesse, nègre bon mais sans résistance à la vieille eau de quimbois que Stéphanise lui avait mêlée au sirop d'un punch. Là même, vibrant d'une fibre paternelle soudaine, le bon Bouaffesse s'en fut reconnaître l'enfant de cette dernière au guichet de l'état civil. Une fois le nom obtenu, Stéphanise Laguinée conseilla au bon nègre d'aller transpirer sous un autre soleil, ce qu'il dut prendre à la lettre puisqu'il disparut avec sa yole en poursuivant le jour couchant. Pour Gros-Désors, le géniteur, le futur brigadier-chef ne fut jamais plus que le numéro seize du décompte d'enfants-dehors qu'il établissait tous les neuf mois en compétition avec celui de ses amis. L'absence de père ne sembla jamais traumatiser outre mesure notre homme (ni même ses dix-huit demi-frères et sœurs), bien que le psychologue scolaire (un Auvergnat très compétent) manifestât quelque inquiétude face à ce négrillon pour lequel la question *Mère ?* et celle de *Père ?* n'en faisaient qu'une : il répondait invariablement : Stéphanise Laguinée !... L'Auvergnat, digérant mal qu'une mère puisse être ainsi (et aussi) identifiée au père, passa le restant de son séjour à bâtir des passerelles théoriques au-dessus des impasses du complexe d'Œdipe. Comment évaluer l'apport du futur brigadier-chef au développement de la psychologie ethno-coloniale, ou même, un ou deux temps plus tard, sa responsabilité dans les massacres de femmes, de vieillards et d'enfants, spécialité de son régiment durant la guerre d'Algérie ? De même, puisque écrire n'est pas omniscience, on ne peut préciser dans quelles conditions il rencontra la femme de sa vie (une coulie à ce qu'il paraît), ni pourquoi il vérifia à dix reprises qu'elle pouvait enfanter avant de l'épouser sans un zouc ni un pâté en pot, ni même comment il abandonna son tricot de marin-pêcheur où il végétait après sa guerre coloniale, pour les bleus officiels du gardien de la paix. De plus, toute question visant à éclaircir comment il était devenu sous-brigadier, puis brigadier, enfin brigadier-chef, sans voir accompagner ces promotions de l'exil habituel dans le givre des commissariats parisiens resterait sans réponse. Au moment où il pénétra dans le hall (donc, en quelque sorte, dans l'affaire Solibo), il était déjà craint de la mafia négresse des vieux coins de la ville. On disait qu'il n'avait jamais baissé les yeux devant une levée de coutelas, ni connu la tremblade face aux spécialistes du rasoir. Les majors assassins, les débiellées aux bouteilles d'acides, les tigres qui entrent en crise à la seule vue de la police, toutes les qualités de frénétiques qui déchiquettent les policiers pour détruire le colonialisme, ne l'avaient à aucune heure initié aux cacarelles. Donc c'est un mâle nègre (sinon un bon), et un bon policier (sinon un grand), qui figea Doudou-Ménar et sa meute d'assaillants par un simple : Quoi ? c'est salsa chez les fous que vous jouez là, ou quoi ?

Il y a une kodak du brigadier-chef Bouaffesse parue en première page du journal *France-Antilles,* une charge de temps avant l'Indépendance. On le voit devant un cercueil défoncé dont il avait extrait un lot de saletés : tibias en croix, poupées épinglées, cœur de cabri séché... Alerté par un Syrien qui venait de découvrir ce quimbois devant son magasin, le brigadier Bouaffesse (pas encore chef) avait là aussi calmé l'agitation en ouvrant le cercueil à coups de talon et en répertoriant d'une main sereine son contenu. Cette affaire lui valut une réputation de demi-quimboiseur qu'il utilisa par la suite pour appréhender quelques récalcitrants. Avant de le saigner, nous avions en effet tendance à réfléchir vu qu'il nous prévenait tranquillement : Si tu abats ta lame sur moi c'est toi-même que tu vas fendre... De plus, lorsque nous nous enfuyions, il nous criait sans lever le pied : *Tombez !* Et quand Bouaffesse avait dit *Tombez !,* que tu le veuilles ou non, l'effet par là était le même qu'ici : tu tombais, oui.

Mais la parole n'est pas là. Elle est sur la kodak de Bouaffesse dans *France-Antilles*. Là, on comprend pourquoi on le crie « Ti-Coca ». Il est court, massif, presque rond. On l'eût juré débonnaire s'il n'y avait eu ces sourcils broussailleux qui ajoutent une autre visière à celle de la casquette, et puis surtout ce regard : deux agates assassines. Sur la kodak, il a les mains aux hanches, une position qu'il affectionne, et il pose un pied sur le cercueil comme dans les vieilles images de chasses coloniales (objets probables de ses émerveillements). Quoi dire encore ? La moustache. Oui, la moustache. Une papa-moustache lustrée à la brosse à dents, élégamment relevée aux extrémités ainsi que de curieux hameçons. L'âge l'a aujourd'hui grisaillée, mais elle est toujours digne d'envie. Autre chose : si on le crie « Ti-Coca » c'est toujours par-derrière. Qui peut l'oser par-devant ?

> (« Chamoiseau ? Parce que pour eux, tu étais descendant (donc oiseau de...) du Cham de la Bible, celui qui avait la peau noire », me disait Solibo...)

Dans le hall, tout demeurait suspendu. Doudou-Ménar : saisie comme un manicou aveuglé, la policeraille, alignée raide en bougies saint-antoine sur une tombe de bonnes gens. D'un calme plus inquiétant qu'une colère, Bouaffesse parcourait le champ de bataille, s'arrêtant aux débris, irradiant une autorité devant laquelle ses hommes demeuraient en gobes-mouches, et Doudou-Ménar même, en carafe abrutie sans eau fraîche ni bouchon. Cet homme, il faut le dire, est du bois des chefs. Sur le bateau négrier c'est lui qui nous aurait baignés à l'eau de mer, désinfecté la cale au vinaigre bouilli, nous aurait frottés d'huile un peu avant la vente. Sur l'habitation, il eût été celui qui donnait la cadence du travail au champ, puis, plus tard, commandeur. Il était fait pour être chef, mais du côté du manche. Diriger, par exemple, une troupe de nègres-marrons galeux ne l'aurait pas intéressé. Son pas résonnait lugubrement sur les carreaux. Le silence soulignait les frottements de son uniforme dans une éternité propice aux troubles nerveux : des lèvres tressautaient, des veines de tempes battaient, Doudou-Ménar mâchait un vent avec une inquiétante férocité. Le brigadier-chef prolongea cette tension jusqu'au point de rupture des humanités présentes, puis il parla d'un ton bas, d'une voix douce, pas gentille mais apaisante, qui déraidit là même les sacs de nerfs et soumit l'assemblée à sa botte, plus docile qu'un vieux nègre aux environs d'un chien (tant qu'aucune pierre n'est à l'horizon, tonton).

— C'est quoi, han ? dit-il. (Ce qui, traduit en français d'outre-mer, donnerait : Pouvez-vous m'expliquer ce qui est à l'origine de cette situation déplorable ?)

Solibo est à l'agonie sur la Savane, murmura Doudou-Ménar. En bon professionnel, Bouaffesse distingua là même cette gravité qui éclipsait le reste. Quelle personne est à l'agonie, han ?..., se tournant, il aborda la Grosse. Cette dernière levait déjà sur lui un regard de western, quand, inattendûment, paupières en surprise, une joie engouffra son visage : A-a ! Philémon, je t'avais pas reconnu là comme ça, non ! tu es policier garde-caca alors ?... À ce cri du cœur, le brigadier-chef la crut folle, mais, homme à femmes, expert en cette énigme, il se mit en alerte afin de prévenir toute négligence susceptible de lui jouer un vieux dé de serbi. Donc, il ne dit mot, tant il est vrai qu'en certaines circonstances, comme en d'autres, le silence se rectifie mieux qu'une parole imbécile. Re-donc : muette observation —— tandis qu'en face Doudou-Ménar se trémoussait : Tu ne me reconnais pas, Philémon ?... Oh, fulgurance douloureuse ! Le brigadier-chef dut malgré lui arquer un sourcil et sourire jaune : Andjèt sa ! c'est Lolita, pensa-t-il.

La nuit de sa rencontre avec la jeune Lolita Boidevan surgit de sa mémoire. À l'époque, simple gardien de la paix, il justifiait (auprès de sa coulie concubine) ses absences nocturnes par des histoires de plan Orsec expérimental, et hantait les viviers féminins des zoucs, bals, et d'autres coulés-sirop. Cette nuit-là, il avait choisi *La Bananeraie,* paillote en vogue, où musiquait l'orchestre haïtien de Nemours Jean-Baptiste. Après un décollage au whisky-coca arrosé d'une bière blonde (indispensable pour ne pas macayer devant la femme), il avait parcouru la grande salle, repérant les têtes intéressantes dans ce qu'il appelait « le bétail ». Il longea l'estrade où l'orchestre distillait *Ti-Manman chérie*, navigua entre les tables selon une déambulation étudiée qui constituait le rituel du kalieur, séducteur en bal : voir et se faire voir. Faire voir la Pierre Cardin cintrée, déboutonnée sur la toison de la poitrine, la menue Martinique au bout de la chaîne en or, et (manman !) la petite croix lovée au creux des clavicules sous une chaîne plus courte. Faire voir le pantalon haute taille, l'escampe, la ceinture de cuir fin, le paquet de cigarettes américaines (les Mélia, locales, te discréditent !) tenu du bout des doigts par la main à gourmette et à grosse chevalière. Durant le déplacement, fumer en longues bouffées extatiques, avec torsion du poignet favorable au miroitement de la montre. Cependant, sillage frais et tenace, le parfum signe une présence. Le jeune Bouaffesse appliqua cette technique avec la foi de l'expérience. Or, il est des jours difficiles pour les kalieurs. Des jours où les bals n'attirent que des femmes à casque, fleurant la vaseline et le cheveu brûlé, à robes rouges et souliers blancs 45 à talons, parfumées au ploum-ploum, et qui se refusent sauvagement à la danse si le désirant est plus noir qu'elles. Bouaffesse avait la peau marron clair. Il y avait pire, mais à cette époque, pour un kalieur, il y avait mieux. Après trois refus, il méditait ces vérités quand apparut une créature abordable. Assise seule près de l'orchestre, elle sirotait des yeux le chanteur. Il regarda la robe : à volants, bien moulée sur ce qui n'était encore que de simples rondeurs. Il regarda les chaussures : noires, à talons mi-plats. Il regarda le style : lèvres fardées rose, peau luisante atténuée par la poudre, paysanne-bitaco mais gentille. Final : une petite fraîcheur à grands yeux innocents qu'un kalieur en dérade ne pouvait négliger. Le jeune Bouaffesse invita la jeune fille dont il saurait bientôt qu'elle s'appelait Lolita Boidevan, sans se douter qu'une charge d'années plus tard, elle se surnommerait Doudou-Ménar, femme à scandale en cinémascope (et couleurs par Deluxe).

L'emballage fut aisé. Un calypso-mambo très digne. Puis un cha-cha-cha au cours duquel Bouaffesse exécuta les pas les plus récents, avec pliures du genou, tintements de la gourmette et voltes parfumées. Quand Nemours Jean-Baptiste entonna le *Ginette,* puis le *Dimanche matin* (sur lequel nos musiciens gardent une longueur d'envie), le jeune Bouaffesse entamait les frôlements du ventre, la cassure de la Belle pardessus l'avant-bras glissé au creux des reins. L'entreprise de la cassure est essentielle car, aboutie, elle livre à l'artiste le capital de la convoitée. Bouaffesse réussit dignement sa cassure deux secondes avant la fin du morceau (il faut bien calculer ça) et put, sans effaroucher sa proie, onduler des hanches un lafouka lascif. Mélodie achevée, il s'inclina comme un Chinois et se perdit dans le noir de la salle (le coup du

Chinois est double : il garde intact le mystère de la voix, et atteste singulièrement d'un bonheur). Depuis une ombre, Bouaffesse compta les danses, juste trois afin de condenser le mystère, se faire désirer et, surtout, éponger la première sueur (la séduction en cours, le kalieur se doit de ne pas transpirer). Étape décisive : on resurgit, frais, souriant, et on l'invite de loin (toujours l'amener à marcher vers toi, pitite). Ou elle accepte, ou elle refuse. Si elle refuse : whisky et bière blonde avant d'aller chasser ailleurs. Si elle accepte : cassure extrême, lafouka torride et ivresse à la voix. Messieurs et dames, Lolita Boidevan accepta.

Le charroi * de la Belle eut lieu en D.S. climatisée, au rythme d'un slow d'Otis Redding, coulé des cinq enceintes dissimulées dans l'habitacle. Tout s'était déroulé à l'huile pour Bouaffesse : la cassure, le lafouka méchant, les vibrations d'une voix travaillée dans un lobe d'oreille : C'est quoi ton petit nom ? humm, Lolita, joli-joli, oh c'est sirop de danser avec toi..., Otis Redding et sièges couchettes. Bouaffesse portait ses estocades d'après-bal en bordure de mer. L'horizon jaunissant au-dessus des rumeurs océanes suscitait en lui des ardeurs fertiles, et ses performances n'étaient pas seulement dues aux exigences glandulaires (bien connues) des nuits blanches. Sans être scabreux,

* Ou *chawa,* si tu veux.

il est bon de signaler qu'il commença par la salsa du dominicain (difficile !) et qu'il conclut par le sarclage du vieux nègre sautillant, ce qui (si véritable) peut lui valoir ce classement d'international appelé de ses vœux lors des beuveries policières.

Il existe un art du charroi et des amours fugitives. On saisit l'instant pour être éblouissant. Le charroi c'est l'Éclair, l'Amour compact et absolu, une brièveté qui rejoint l'éternité. Doudou, nous n'irons pas haler ensemble la senne du temps, personne n'en rapporte rien : avec le temps c'est le temps qui gagne, disent les nègres par-ici. Bouaffesse (bien qu'il ne l'eût jamais avoué à la coulie mise en case avec deux-trois enfants) y souscrivait, et il l'expliqua longuement à la jeune amoureuse encore bouleversée par le chant de sa chair : Je ne t'oublierai jamais...

— Moi non plus..., avait promis Lolita.

C'est Doudou-Ménar qui le lui prouva.

(Solibo Magnifique me disait : « Z'Oiseau, tu dis : La tradition, la tradition, la tradition..., tu mets pleurer par terre sur le pied-bois qui perd ses feuilles, comme si la feuille était la racine !... Laisse la tradition, pitite, et surveille la racine... »)

Peut-on aimer aussi fugacement ? L'amour peut-il être bref comme un rhum près d'une partie de dominos ? N'y a-t-il pas une ravine à tracer entre ce qui tient des graines et ce qui vient du cœur ? Après le zouc, la négresse séduite avec laquelle on s'extrait un lait de petit matin, faut-il la ranger sur la table des amours comme on pose le piment aux quatre coins d'un trempage ? Et puis, ce pays est trop petit : où serrer le secret ?... C'est un peu ce que ruminait amèrement Bouaffesse tandis que, circonspect, il scrutait Doudou-Ménar. À la ronde, ses subordonnés de la force publique s'agitaient sous la grattelle d'une impatience, si bien que le brigadier-chef s'ébroua (Je vous reconnais, madame, rejoignez mon bureau), fit recoller le cassé, nettoyer le sali, avant d'expliquer aux tuméfiés revanchards que la dame en question était sa cousine du côté d'une cuisse d'oncle, que cet incident était une nègrerie déplorable, qu'il valait mieux ne pas lever de chaleur ni couper de piment, que ce n'était pas une demande-service mais si vous ne portez pas plainte, je saurai vous rendre la monnaie avec plus de rallonge que la Caisse d'Épargne. La meute approuva grassement et disparut comme elle était venue, laissant Justin Philibon s'inquiéter du registre de main courante...

— Marque la déclaration de la dame avec un point final !

Dans son bureau, Bouaffesse crut comprendre au quart de mot : si donc, résuma-t-il, une congestion l'a saisi, alors ? S'il a hélé *Patat' sa !* et qu'il est tombé blip !, c'est peut-être aussi une espèce d'étourdissement comme chez les femmes enceintes... Il examinait Doudou-Ménar, cherchait sous le visage bouffi les rondeurs de la jeune fille, et, de détail en détail, Lolita se reconstituait devant lui malgré l'évidence apocalyptique des seins, de la taille, des bras musculeux. Sous le regard salace de son éphémère amant, la Sauvage minaudait avec des sons de gorge. Quand il lui toucha l'épaule (tout en poursuivant son exposé sur les catégories d'étourdissements, car y'a l'étourdissement rhum, l'étourdissement mal-foie, l'étourdissement graines-vides, l'étourdissement où tu n'es pas étourdi...), elle ondula telle une liane sous une fuite de lézard anoli, et murmura : Ô Philémon, tu as toujours les yeux clairs, hein... Le brigadier-chef, déjà congestionné, ne répondit ni tu ni il, mais précisa la caresse.

Bouaffesse, en habitude nocturne, utilisait son bureau pour la consommation impromptue de ses histoires d'amour. Il n'y a pas de paroles sur l'Amour par ici. Ces roches du malheur à domestiquer sous la dent font que la parole sur l'Amour n'a pas trouvé son nègre. Notre pré-littérature est de cris, de haines, de revendications, de prophéties aux Aubes inévitables, d'analyseurs, de donneurs de leçons, gardiens des solutions solutionnantes aux misères d'ici-là, et les nègres ceci, les nègres cela, et l'Universel, ah l'Universel!... Final : pas de chant sur l'Amour. Aucun chant du koké. La négritude fut castrée. Et l'antillanité n'a pas de libido. Ils eurent beaucoup d'enfants (surtout dehors) mais sans s'aimer, fout'. C'est un peu ce qu'aurait pu se dire Justin Philibon si ses lectures avaient dépassé les sanglantes colonnes du journal *France-Antilles*, ou même, et surtout, si nos scribes-savants avaient écrit afin d'être lus par ici-dans. Depuis son guichet de permanence, il guettait la porte close du bureau de Bouaffesse, en rapiéçant le registre de main courante. Une jalousie pimentait son cœur, il va la koker assuré, non même il la koke déjà là sur moi, quel chien! faire ça dans un bureau comme les vieux blancs, le chef est couillon mais il est fort même dans l'affaire des femmes, il koke tout ce qui rentre ici pendant la nuit, le jour il peut pas, mais la nuit il koke raide, il faut que j'achète la vaseline parfumée qu'il met dans ses cheveux, moelle de bœuf à l'huile d'olive à ce qu'il paraît, ça déraidit bien les cheveux, manman! j'entends même pas sa voix, il a dû sauter sur elle fiap! et l'écarteler sur le bureau comme un chatrou ouvre un soudon, ça doit être une ancienne concubine à lui, bon dié! il la koke et moi pendant ce temps-là je suis comme un dessin animé derrière le guichet du béké!... Au bout d'une éternité, il les vit sortir du bureau avec des vêtements trop bien ajustés, des yeux trop habités d'éclat. Sourcils nattés comme du vétiver, l'Autorité s'approcha du guichet, vérifia le registre de main courante et, entraînant Doudou-Ménar, ordonna d'une voix froide : Philibon, ajoute que j'ai pris l'affaire en main et appelle les pompiers pour si en cas...

Assise à l'arrière du car parmi trois nègres de la force publique, Doudou-Ménar est fascinée. Le pays défile devant elle, découpé en losanges par le grillage protecteur des vitres sales. Cela empeste la graisse d'armes, le mégot, la sueur aigre des innocences terrorisées. Une eau de javel négligente a mal réduit le tout, mais la Grosse ne sent rien. Entre les uniformes de police, elle fait irruption dans une existence légitime, elle comprend avoir vécu comme nous tous, en décalage, sur ces sentiers qui tracent un autre pays que les routes coloniales. Alors il faut comprendre : dans le car qui roule vers Solibo et nous, Doudou-Ménar, légalisée, est fière.

2

MES AMIS , HO !

LE BRIGADIER-CHEF
RAMÈNE PAR ICI
SES CALOTTES MAUDITES
ET NOUS MET EN CACARELLE...

(Pour qui pleurer ?
Mais pour Charlot.)

Au bout du petit matin, quand Solibo Magnifique exhala les premiers gaz des morts, libérant une odeur désespérante, la compagnie quitta sa léthargie pour questionner la hauteur du soleil : Quelle heure il est là, han bon dieu ? où est Doudou-Ménar ? hi ô an chimin-a ?... On se leva. On s'étira. On boita, se drainant les fourmis des jambes. On se pencha sur Solibo, maintenant méconnaissable, bouffi d'absences et des chimies de la viande. Maria-Jésus Sidonise s'en était rapprochée et ne l'avait pas quitté des yeux une seconde. Agenouillée près du corps, coude sur sa sorbetière, elle semblait devenue pierre, falaise, dépourvue du chaud vivant, avec une peau aussi défaite que celle du Magnifique. Quelle misère de les voir ainsi ! en déshérence comme des ignames plantées à la pleine lune, trop amères ou trop grasses. Mes enfants, murmurait Sidonise tandis que nous baissions les yeux, je vous dis la tristesse : son corps aurait déjà dû recevoir un bain de citronnelle, frais sur des draps blancs, il porterait une croix sous la lumière de ses bougies et la prière des femmes, et l'on aurait gardé l'eau du bain dessous le lit jusqu'à l'heure d'arroser la roue du corbillard... Où est le citron qui stoppe le gaz des disparus ?... Sidonise maintenant balançait tout son buste, telle une feuille sous un alizé triste. Nous jetions des regards furtifs sur les éclats de sa douleur, et c'est un peu plus accablés que nous écoutâmes sa voix dans le créole du souvenir : J'ai vécu dans le temps avec Solibo, une bonne charge d'années, il ne venait que les mardis et les dimanches, et restait dans ma case sans regarder par la fenêtre. C'est comme ça, oui, qu'on a fait ses deux enfants. Il maniait plusieurs concubinages comme tous les nègres d'ici mais il donnait la viande pour les enfants. Si la dèche passait et qu'il n'avait plus un sou vaillant, il assurait le poisson donné, le légume cueilli. Il est parti de ma vie quand je lui ai expliqué que Dalta le douanier (fonctionnaire, oui) voulait piéter dans ma case tout le temps, avec signature à la mairie et bénédiction du Seigneur. Il m'a dit : Maria ho, je suis content pour toi (mais la lumière de ses yeux avait baissé de hauteur), passe me voir au marché si une misère te hale... Ha, manmaye, Dalta est un bon nègre, il a fait ce qu'il faut pour les enfants, mais mon corps n'a qu'une saison : Solibo. Les mardis et les dimanches, Solibo me faisait rire, rire, rire, pas le petit rire du cinéma mais celui où tu exposes toutes tes dents au soleil. Il te parlait, te chantait des joliesses, te montrait des pas de quadrille, vibrait à l'infini, à dire une libellule sous la première rosée!... Même la dachine à l'eau, salée d'une écale de morue, te semblait avec lui un festin de baptême : il allumait ta vie comme une lampe! Après le manger de midi, quand la chaleur tombait des tôles, il touchait mes reins : Ah voici mon capital!..., ou bien il gazouillait : Ma commère sucrée, quel goût tu as aujourd'hui, han?..., et je vais vous faire rire, alors que tu le croyais sérieusement au travail, et que toi-même ton ventre s'envolait, il criait tout soudain : *Roye! c'est bon oui, pour les békés tous les jours mais pour les nègres une fois par an!...* Elle interrompit ses balancements dans un rire-sanglot qui parcourait silencieusement son corps. Notre tristesse s'émoussa sous une bienheureuse allégresse, tout intérieure et diffuse.

Didon, maître-djobeur du marché aux légumes, rejoignit Sidonise, lui toucha les cheveux d'une main en manière de merci, puis, figeant les nœuds de ses épaules, il releva le front afin de se dégager la gorge et donner une parole. Étroit comme un bourgeon, la silhouette bosselée de petits muscles noueux, un anneau de femme lui mordait une oreille. Compagnie voilà ma tristesse, dit-il, permettez mon souvenir... Nous nous mîmes en attente d'une autre évocation d'un Solibo réconfortant, à la verticale, dans un de ses beaux jours. Manière de l'aider à balancer sa voix, nous faisions une musique de bouche et nous battions des mains... Didon parla d'une voix sourde, lente, dans un créole qui souvent rappelait la Guadeloupe. Son débit un peu monocorde s'en allait sur le vent, et il fallait se pencher pour comprendre ses mots. Quand il se tut et se rassit, le cadavre retrouva sa douloureuse présence. Mais sur nous, et tout en haut de l'arbre, l'extraordinaire histoire de la bête-longue, celle qui fit connaître Solibo dans le loin des communes, flottait comme un parfum —— simple, ainsi que Didon l'avait parlée :

La bête-longue avait surgi d'un panier d'herbages. Yeux en étincelles, crissante, elle se dressait sur l'établi devant Man Goul, la plus âgée des marchandes. Une bête-longue de mauvaise qualité, oui, à reflets jaunes et noirs, ondulante de force inquiète. La voir en plein mitan du marché nous jeta dans les palpitations. Chacun enleva vivement ses pieds, abandonnant Man Goul face à la mort dans une zone d'établis désertés. La Vieille était terrifiée. Elle ouvrait une bouche sans dents et des yeux mats sur un cri impossible. Déjà, nous ne comptions plus sur elle : la malheureuse quitterait la vie bêtement, brûlée du poison de notre plus vieille ennemie. Certaines négresses maniaient chapelets et prières, frottaient des graines-à-pouvoir ou pleuraient tout le long. Nous-mêmes, djobeurs, restions bloqués comme des moteurs sans huile. Compagnie, tu le sais, *la bête-longue nous épouvante.* Elle nous a tués si souvent dans la piétaille des champs, elle transporte dans ses reptations tant de significations anciennes, que sa présence nous vide. Man Goul demeurait engluée devant la mort sifflante, vraie mouche piégée dans la dentelle d'une araignée. Et nous au même pareil. C'est alors que Solibo Magnifique s'avança.

Ô douceur des yeux !

C'est un souvenir que je peigne sans cesse : quel sirop de mémoire !... Je le vis marcher sans déplacer de vent et rejoindre Man Goul au pays de la mort. Quand il s'immobilisa aux côtés de la Vieille, imperceptiblement la bête-longue pointa vers lui. Solibo se mit à bourdonner, il parlait oui, mais de loin cela semblait un chant de bourdon à l'approche d'une fleur. Là, nous sentîmes que les choses avaient changé : il n'y avait plus de chasseur et de proie, mais —— pardonne-moi compagnie, je te le dis comme je le sens —— mais deux chasseurs ! Au marché, en plein midi, près de Man Goul ressuscitée, il y avait *deux serpents* !... C'est ça le cirque, oui ! Comment dire ce que nous ressentions ? Vertiges ? Tête par en bas ? Le Magnifique saisit la bête-longue d'une main à l'aise. Il la fourra dans un sac et lui souffla des paroles inaudibles tandis qu'il l'emportait. On dit qu'il la libéra dans les raziés de Tivoli. On dit aussi que Man Goul, haute vieillesse à respect, l'appela désormais *Papa*, une main sur le cœur...

> (Solibo me disait : « Oiseau de Cham, je ne me noierai jamais. Dans

l'eau, je deviens eau, devant la vague je suis une vague. Je ne me brûlerai pas non plus, car le feu n'enflamme pas le feu. Quant à cette histoire de bête-longue dont tu parles, je ne m'en souviens pas. Mais ce n'est pas chose impossible. Chaque créature n'est en réalité qu'une vibration à laquelle il faut simplement s'accorder... Cesse d'écrire kritia kritia, et comprends : se raidir, briser le rythme, c'est appeler sa mort... Ti-Zibié, ton stylo te fera mourir couillon... »)

Certains abaissaient leurs paupières, prudemment accrochés à l'écho des paroles. D'autres balançaient les yeux à travers la Savane luisante d'une rosée où les merles venaient boire. Carnaval n'y avait laissé de sa joie que des ruines et des taches, des bouteilles asséchées, des bouts de masques, des godillots inertes... Je n'avais pas vécu le cirque de la bête-longue, le marché bouillonne de tant d'histoires !... et il m'échappait d'autant mieux que j'y appliquais mon regard : regarder n'est plus voir, le regard explore en petits bonds de ces sauterelles qui ne mangent qu'au lieu où elles se posent. On m'en avait parlé une, deux, trois fois, dans des versions diverses, aux heures où j'interrogeais les vieilles sur l'origine du Magnifique et sur l'essence de son surnom. Par ici, on dit *solibo* pour désigner la chute. Chaque nègre, et les négresses plus souvent qu'à leur tour, ont eu leur solibo. Celui qui deviendrait un de nos grands conteurs fut cueilli des branches de la jeunesse par la mort d'Amédé, son père —— brave nègre, un peu graisseux, avec un ventre de femme enceinte et une voix résonnante dont son fils hériterait. Il était venu à Fort-de-France comme nous tous, quand les champs ne nourrissaient plus que les fourmis et les békés. Les Allemands n'avaient pas réussi à lui briser les reins aux époques où il s'en était allé sauver de Gaulle, mais les majors de Fort-de-France y parvinrent. Amédé fut crevé au Morne-Pichevin à la suite d'une lamentable tricherie au serbi, laissant sa femme Florise, et son garçon, dans une situation pire que si on les avait jetés dans les dalots. Florise n'était pas une négresse de combat. Quand elle tentait de saisir la déveine au collet, la déveine glissait. Elle ne décelait jamais les cachettes de la chance. Ce fut pour elle *la* misère, l'indescriptible, celle qui te renvoie une vie plus amère qu'un manioc mal purgé. La malheureuse avait donc basculé. On dut la transporter à l'hôpital Colson quand tafia et douleur lui déraillèrent le cerveau. Le garçon, lui, disparut de la circulation. On dit qu'il rôda dans les hauteurs de Fort-de-France, là où l'herbe-des-sept-chemins déclare les fonds de bois. Il hantait les rives de la rivière Madame jusqu'à hauteur du Pont-de-Chaînes où elle se transforme en canal. Il mangeait des corrossols, des mangots, parfois même du manger-coulis, et buvait l'eau des cascades où il empoignait les z'habitants, écrevisses vite dorées à la flamme. C'est cette façon de marronnage de notre vie, ces heures où le nègre d'ici ne perçoit dans sa conscience qu'un écho de lui-même (résurgence que favorise le silence musical des bois où généralement l'éternité séjourne) qui dut lui permettre de devenir ce qu'il était. De cette époque, il ne m'avait rien confié, sinon qu'aux pierres et aux écorces il s'adressait, et que toujours toujours il cherchait dans sa poitrine ce souffle qui alimente la rumeur des feuillages. Quand il réapparut dans les rues de la ville, bien longtemps plus tard, poilu, hagard, il s'abîma dans les vices des nègres en perdition. Quelques vieilles du marché où il stationnait sa détresse le nommèrent *Solibo,* astuce de dire : *nègre tombé au dernier cran ——— et sans échelle pour remonter.* Comme cela se fait dans ces situations-là, les vieilles, aux heures de pause, lui offrirent des paroles, ô paroles de survie, paroles de débrouillarde, paroles où le charbon du désespoir se voyait terrassé par de minuscules flammes, paroles de résistance, toutes ces qualités de paroles que les esclaves avaient forgées aux chaleurs des veillées afin d'accorer l'effondrement du ciel. Bien des hommes en dérade les avaient entendues, et pas un enfant d'ici ne les a contournées, mais chez Solibo (les vieilles s'en rendirent compte et amplifièrent la dose) cela germa, se déploya, avec plus de splendeur qu'un flamboyant de mai. Bientôt (Florise, sa mère, avait quitté Colson et vendait du lait aux soldats de la caserne Rochambeau), il devint un jeune homme réconfortant, plein de dignité joyeuse que tout le monde écoutait. Sa parole était belle, dit-on, elle connaissait le chemin de toutes les oreilles et ces portes invisibles qu'elles détiennent sur le cœur. En plus, par un mystère, il distillait les contes d'une manière inconnue, à dire qu'il avait dévié en lui-même leurs signifiances les plus extrêmes. C'est un vieux conteur (un brutal paroleur) qui, l'entendant un samedi au marché, le cria *Magnifique*. Lui, refusa longuement l'adjectif : Awa ! Solibo... Solibo... L'un dans l'autre donna ce que l'on sait.

Je me levai. Aidé de la compagnie qui soutenait ma voix de la main ou de la bouche, je donnai cette parole auprès de Solibo. Sucette comblait mes silences en suscitant d'un doigt frotté sur la peau du tambour la plainte chevrotante du triblé. Congo, la Fièvre, Charlot et Bête-Longue murmuraient en messe basse : *Donne-la-nous, belle parole mi, donne-la-nous...*, tandis que Sidonise et Conchita claquaient de la langue, approuvaient des paupières. Tout cela nous tenait chaud, enrobait l'arbre, le corps du Magnifique, et allait se dissoudre au large de la Savane. Pièce larme ne troublait plus les yeux. La douleur ne servait plus que de mulet aux souvenirs. La mort, à mesure-à mesure, se laissait vaincre, refluait de nos cœurs, ou alors y prenait cette dimension que d'autres peuples connaissent, sans souffrance ou déchirure salope, sorte de floraison achevée de la vie. Quand je me rassis, que le silence ramena son abîme, Charlot se leva à son tour, et s'excusa, en touchant le front du Magnifique, de ne pas avoir pensé à mener-venir son saxo. La lente cadence de nos mains, notre rumeur accablée l'obligèrent à trouver en lui-même, sans instrument, un don de souvenir... Je ne l'ai vu qu'une fois, dit Charlot dans un créole de ville. C'était un jour de Noël, à terre de Fort-de-France dans la case de Man Gnam, devant un cochon qui refusait la mort. A cette époque, on pouvait faire lever des cochons dans sa maison. L'hygiène n'était pas encore un service, et pièce nègre ne venait dans ta maison pour interdire ceci ou cela à cause des fièvres et des moustiques. Donc Man Gnam perdait la boule devant la bestiole. Le cochon était fou. Rien n'avait pu l'arrêter, ni le pain mouillé au tafia, ni les tio tio tio avec les chatouillades, ni même les coups de barre à mine. Il avait cassé une corde de mahaut blanc et une autre de mahaut banane. Moi-même, venu le saigner en question de service, malgré mon expérience, j'étais estébécoué. Ce Noël-là me paraissait parti pour le mal. Man Gnam avait descendu l'année à engraisser un cochon qui, là comme ça, s'empoisonnait les chairs de folie et de craintes. C'est alors qu'en pleurant elle héla un de ses fils : Souris, va chercher Monsieur Solibo pour moi... Croyant qu'elle faisait mander un autre saigneur de cochon-noël, j'avais mis une vieille figure et je levais les pieds. Où vas-tu

Charlot ? m'avait rappelé Man Gnam, Monsieur Solibo n'est pas un saigneur, non, mais une personne à paroles... Je n'en voyais pas très bien l'utilité mais je laissai ma bouche en paix. Souris revint là même avec le Monsieur Solibo. Il l'avait récupéré au marché où le Monsieur vendait du charbon, je crois. Le voir avec son linge de sac-farine et son vieux panama n'était pas impressionnant. Court, les bras longs, il gardait la tête en avant comme une tortue molocoye. Quand mes yeux ont échoué sur ses yeux, qu'il m'a touché l'épaule (Oala, pitite ?), qu'il a embrassé Man Goul en soulevant son chapeau et en réclamant une rosée pour sa gorge, j'ai commencé à percevoir sa force. Sa voix vibrait dans son front, dans ses joues, habitait ses yeux, sa poitrine et son ventre : une Force. Il ne s'était pas encore penché sur le parc que maître cochon ne criait déjà plus. Il sauta dans le parc pour s'adresser à la bête en voltige. Là même, elle s'allongea sur un côté, comme étourdie. Le Monsieur Solibo lui parlait tandis qu'autour de mon couteau, son cœur s'exilait en bassine : morte sans le savoir, avec la chair sauvée. Là, j'étais estébécoué ! Je ne me rappelle pas ce qu'il avait dit au cochon, mais sans mots ni paroles, devant l'animal Solibo était une Voix. Et quand ça m'arrive de jouer au saxo, que je veux souffler un son cracheur de feu, je ramène dans ma tête ce souvenir de lui, le do si la sol de sa voix, la cadence de sa gorge sur refrain de poitrine. Quand j'y parviens, mais c'est rare oui, le peuple me dit toujours : Charlot ho ! il était bien bel ce joli coup de saxo !...

> (Papa, deux questions, avais-je dit à Solibo, bien longtemps après l'incident du cochon de Man Gnam : comment la parole peut-elle calmer un cochon fou ? et n'est-ce pas dérisoire de l'utiliser pour tuer un cochon ?... Le Magnifique avait souri : « Il faut être ce que tu fais, cochon devant le cochon, parole de cochon devant le cri du cochon, perdre de ton importance, et là toute parole calme. Maintenant, Chamzibié, tu dis : Dérisoire. Joli français. Toi, tu pleures sur un cochon saigné, moi j'ai pleuré sur la misère de Man Gnam, et le Noël de ses sept enfants... »)

Debout parmi les racines, Charlot contemplait le cadavre comme s'il le découvrait. Sa parole avait suscité tant de résonances en lui-même !... Il était grand, le ventre effondré au-dessus de longues jambes, ses yeux conservaient en poches un compte de rhum et de nuits blanches. Sur la Savane, les merles désaltérés bectaient une chose invisible d'au fond des herbes. Un lustrage de rosée résistait encore mais le vent n'était plus aussi frais. L'oreille fine de Congo perçut le car de police bien avant qu'il ne soit audible. Mi la hopo, voici la police ! dit-il avec le ton que l'on emploie pour signaler les chiens. Nul ne comprit l'avertissement, et le car surgit dans l'allée du monument aux morts (Bondié ! la police...), faisant sau-sauter nos cœurs... Ô amis, qui est à l'aise par-ici quand la police est là ? Qui avale son rhum sans étranglade et sans frissons ? Avec elle, arrivent aussi les chasseurs des bois d'aux jours de l'esclavage, les chiens à marronnage, la milice des alentours d'habitation, les commandeurs des champs, les gendarmes à cheval, les marins de Vichy du temps de l'Amiral, toute une Force qui inscrit dans la mémoire collective l'unique attestation de notre histoire : Po la poliiice !

Le car de la Loi approche du tamarinier. Vlap-vlap ! la portière avant droite et les deux de l'arrière s'ouvrent au vol. Le brigadier-chef Bouaffesse et trois acolytes bondissent. Le car hoquette. Le frein à main grince énergiquement. Le chauffeur descend à son tour. Apaisement. Seul le gyrophare s'agite. Secouée par la manœuvre, Doudou-Ménar émerge en titubant : Misyé-a ! tu as trouvé ton permis dans un sachet d'Omo, dites-donc ? hurle-t-elle au chauffeur. Elle semble prête à s'enflammer. Le brigadier-chef réduit sa chaleur : Paix là !... La compagnie, tassée autour de Solibo, est saisie de tremblade : Ô Seigneur, c'est Ti-Coca lui-même qui vient là, oui !... Tous perçoivent soudainement le danger de leur situation : ils sont dans un petit matin, à l'entour d'un macchabée sans pourquoi, arrive un brigadier-chef soubarou et méchant... Déjà, une-deux essayent de s'éclipser, bougent lentement les talons pour trouver un chemin. Bouaffesse semble avoir deviné, mains à la taille il ceinture du regard la petite troupe : Restez là où vous êtes souplé, si vous ne voulez pas des désagréments avec moi !... Nous restons raides, plus stoppés qu'en photo, glacés de la sueur des vieux moments de la vie. Les quatre hommes de loi nous encerclent lentement, avec des mines de guêpes rouges. Bouaffesse rejoint le corps de Solibo d'un pas ferme : Hé lévé là, debout !... Bien sûr et donc, Solibo ne bouge pas. Le brigadier-chef le secoue du pied et revient vers nous : Il est soûl ou quoi là ?... Nos regards s'égaillent, personne ne dit hak, Bouaffesse nous fixe. Un gardien de la paix se dirige à son tour vers le corps, le palpe fiévreusement, puis flap ! cling ! bondit, yeux en émoi, pistolet au poing nous braquant : Haut les mains ! ma gâchette est sensible !... Le brigadier-chef lève un sourcil. Il est surpris. D'une lenteur soucieuse il se tourne vers le cow-boy qui chiffonne son calot pour s'éponger le front, sautille, se déplace et maintient sa ligne de mire interrompue par son chef.

— Ho Bobé, s'inquiète Bouaffesse, qu'est-ce qui t'arrive ?

— Le cadavre est mort, chef ! hurle Bobé ——— hystérique.

Le brigadier-chef se métamorphosa *. Ailes du nez à l'envol, rides arquées autour des lèvres, ventre retenu, dos redressé au fil à plomb, il nous jeta ô Seigneur un regard dont il vaut mieux ne pas parler. Tandis que Bobé plissait la peau de ses yeux pour une visée impardonnable, que les trois autres resserraient l'encerclement, le brigadier-chef rejoignit le corps avec cette fois des façons probablement officielles. À chaque pas, il demeurait saisi comme une z'oie à observer les lieux, l'arbre, les racines, le tambour de Sucette, la dame-jeanne, nos petites bouteilles de médecines. On l'eût dit noctambule soucieux d'un chemin qui s'éternise sous l'ombre maléfique d'un fromager. Il avait même sorti un calepin et notait ceci, notait cela, avec un sérieux tel que l'endroit prit d'inquiétantes proportions. Oh manman ! on peut ainsi transpirer sans escalade vers le Gros-Morne. Nos cœurs pompaient une culpabilité inexplicable, avec des accélérations quand le brigadier-chef examinait telle ou telle cochonnerie, et marquait kritia kritia on ne sait quoi. Puis il se lança dans une interminable scrutation du cadavre, se retournant de temps à autre pour nous observer, ce qui suffisait à nous givrer les orteils et les graines. Il n'avait pas rencontré de cadavre suspect depuis un temps d'antan. D'ordinaire, les choses étaient sans aveuglage. La victime était hachée petit-petit par un coutelas, son bourreau la maudissant

* Ou *mofwaza,* si ça t'aide.

encore à l'arrivée des policiers. Ou alors le nègre s'était vu échaudé par sa concubine qui exigeait un procureur afin de lui dire pourquoi j'ai accoré Octave comme ça... Les cadavres étaient souvent quelque pêcheur d'écrevisses noyé sous une roche traîtresse, quelque pendu à une corde de Syrien sous la touche d'une déveine, quelque femme gonflée par la rubigine qu'inspire le lembé d'un amour déçu, quelque vieux cuit au tafia, quelque manifestant saigné sans intention à la grenade lacrymogène (et officielle). Sa dernière mort suspecte ——— qui l'est d'ailleurs restée car il s'agissait d'une victime de dorlis (que peut la loi des vieux blancs dans un viol par sorcellerie ?) ——— remontait à quatre ans. Alors là, devant ce cadavre inattendu, aux yeux ouverts, raide comme une graisse de soupe froide, qui semble lever les bras en un *Ô Gloria !*, le brigadier-chef est un peu dérouté. Il sait qu'il y a des mesures à prendre, des couillonnades à éviter, qu'un rien peut le promotionner ou le descendre en flammes. Des bribes de ses cours par correspondance lui reviennent malement. Préserver les indices, ne pas effacer les empreintes du sol, noter bien la position du corps, conserver les lieux en l'état, conserver, oui, mais conserver quoi ?... même pas un bout de cervelle qui traîne que j'aurais pu mettre dans un sachet... que des ordures de rhumiers en carnaval, de la poussière et des tamarins secs !... c'est quoi cette tache-là ?... c'est du joui ou quoi ?... notons... Dieu-jésis-marie ! le macchabée n'a même pas un bobo, non!... c'est un nègre sans sang?... on le tue et il saigne pas?... pas possible, tout le monde a du sang, même les Haïtiens!... on dirait un noyé, oui c'est ça, un noyé, notons... attends, si je marque ça, on va me dire : où est l'eau?... c'est vrai, on ne se noie pas sous un pied-tamarins... alors c'est quoi?... on a dû lui donner une mort-aux-rats... il est déjà raide, oui... qu'est-ce que je fais là?...

Chose inquiétante : il revenait d'un pas rapide et semblait avoir pris une décision. La troupe d'imbéciles qui regrettaient de s'être attardés là se resserra comme pour se protéger d'une froidure. L'intérêt de sa pose de viseur perdu de vue, Bobé (c'est Robert Dité qu'on l'appelle, fils de Man Dité et d'un nègre en fuite) se préoccupait maintenant de la salive qui lui coulait du menton. Les trois autres gardiens (le premier se nommait Figaro Paul, mais se criait Diab-Anba-Feuilles, à cause de sa rancune légendaire et de ses vengeances sournoises; le second se nommait Doussette Mano, mais on le criait Nono-Bec-en-Or, du fait de l'éclat de son dentier; le troisième se nommait Salamer Cyprien, mais se criait Jambette, peut-être à cause de son aptitude à manier un couteau dissimulé dans un mouchoir) tremblaient d'être ainsi concentrés sur un ordre de saisir qui ne venait pas.

— Alors ces messieurs-là?! C'est à présent que vous nous appelez alors qu'il y a une charge de siècles que le mort est bien mort, hum?

La voix du brigadier-chef claquait, semblable au bambou qui s'enflamme. Brisant le bel arc de sa moustache, un rictus assassin dénonçait ses chicots. La compagnie se resserrait encore, muette. Bouaffesse la contournait en toréador vigilant quand pin pon pin pon l'ambulance rouge des sapeurs-pompiers surgit. Les deux gyrophares conférèrent à l'endroit un tel climat catastrophique que des curieux, inutilisés par la vie, commencèrent à rappliquer avec leur seule question : Qu'est-ce qu'il y a ? qu'est-ce qu'il y a ? ô sa ki ni ?

Sans consulter personne, deux pompiers halent leur brancard et donnent-courir vers le cadavre. *C'est quoi, han ?* hurle Bouaffesse. Diab-Anba-Feuilles et Jambette, soucieux d'avancement, comprennent leur chef à demi-mot. Ils tentent, bras en croix, d'accorer les brancardiers. En professionnels, ces derniers les contournent instinctivement et poursuivent leur élan. D'un croche-pied Jambette en culbute un : il s'écrase avec des injures que Nono-Bec-en-Or et Bobé prennent inexplicablement à leur compte. *Redis ce que tu as dit là !* explosent-ils d'une aigreur unanime, boutou au vent. Le premier brancardier s'est retourné. Il repère son collègue avec la gueule en sang, qui gigote et maudit, il voit aussi les hommes de loi charger à la vitesse d'une descente au massacre. Une terreur le possède, et il pointe le brancard comme une gaule sous un fruit en saison. Tchouf ! Diab-

Anba-Feuilles en reçoit une des poignées dans l'œil, tourbillonne de douleur et gêne la manœuvre de Bobé, Nono-Bec-en-Or et Jambette. Tous s'emmêlent et s'affalent dans un blogodo de poussière. Le pompier édenté en émerge et court vers l'ambulance en quête d'une manivelle. Au passage, il excite les deux autres, pétrifiés jusqu'ici à l'avant du véhicule : Yo lé tjwé nou, ils veulent nous tuer !... Ils sont trois à replonger dans la mêlée. Jambette, oubliant toute dignité policière, a sorti son fameux mouchoir au couteau, zip ! zip ! tranchant net la face ventrale de l'uniforme d'un des pompiers. Un petit sang coulant, ce dernier hurle en lapidé : La Loi saigne les gens, la Lwa ka senyen moun !... Surprenante révélation, terrifiante aussi à en juger par ses effets : les pompiers délaissent guerre et batailles en un zigzag à travers la Savane : *La Lwa ka senyen moun !...* Du coup, les curieux inutiles qui gobaient le spectacle préfèrent tirer leurs pieds. Bouaffesse est figé face au désastre : indices, empreintes, lieux en l'état et toutes qualités tourbillonnent devant lui. Kia kia kia, Doudou-Ménar, mains aux hanches, trouve de quoi railler malgré l'épaisse poussière. Les pompiers en fuite ont amorcé un arc de cercle et reviennent en direction de leur véhicule. Mais Jambette et Bobé, Diab-Anba-Feuilles et Nono-Bec-en-Or y voient très certainement un assaut revanchard car ils sortent leur revolver : Oh laisse-moi celui du milieu, je vais aller en geôle pour lui !... *Rentrez ça !* gorge Bouaffesse d'un ton qui annonce le tracé d'un milieu. Levant une main apaisante, il s'interpose entre ses hommes et les pompiers qui déboulent, et ——— si vous y croyez, c'est mieux ——— les pompiers déboulants s'apaisent là devant lui.

Les kia kia kia de Doudou-Ménar s'étaient étranglés devant ce coup de force. Les policiers avaient rangé leurs outils de mort mais demeuraient vigilants. Nous nous resserrions sous un retour de la froidure imaginaire. Messieurs de la Pompe, donnez-nous l'excuse, expliquait le brigadier-chef, mais on vous avait mandés puisque le macchabée ici présent devait seulement être une personne étourdie, or et pendant ce temps, c'est une personne assassinée...

Seigneur !

Ave Maria !

Saint Michel, passes-y la main !

Le mot *assassiné* nous précipita dans les sept espèces de la désolation : la tremblade, les genoux en faiblesse, le cœur à contretemps, les yeux en roulades, l'eau glacée qui moelle l'os vertébral, les boutons rouges sans grattelles, les boutons blancs avec grattelles. Nous nous enfuîmes par en haut, sur les côtés et par en bas. Nous n'avions même pas talonné l'herbe de la Savane que Bouaffesse hurla : *Ho !...* (*Ho !* c'est quoi ? une liane ou un lasso ? c'est une colle ou un frein ?) Immobilisés brutalement, nous en restâmes offerts, yeux battus et dos bas. *Alignez-moi ces messieurs-là !* ordonna Bouaffesse dont l'implacable cruauté semblait s'être libérée dans un rouge obscurci du regard. Ses hommes nous alignèrent, éteignant par ce spectacle de nos douleurs l'amertume des pompiers attentifs à sa droite. Celui dont un sang avait perlé sous l'uniforme fendu conservait tout de même une inquiétude sous la paupière. Les choses commencèrent à se gâter pour Doudou-Ménar qui, se croyant toujours légitimée, fit mine de rejoindre son brigadier d'amour. Qu'est-ce que vous faites, Man Chose ? grinça l'amoureux dont la voix semblait nier les plus proches souvenirs. Doudou-Ménar frémit, mais s'obstina : Ô Philémon ?..., provoquant une gronde de l'oublieux : Alignez votre corps avec les suspects, souplé !... La Sauvage se ressaisit en une musse de secondes et, buste arqué, paupières dissimulant un regard assassin, elle s'enquit d'une voix dangereusement douce : Soulplê j'ai pas compris, non, c'est sur qui est-ce que tu as lâché cette gamme de paroles-là, han ?... Diab-Anba-Feuilles, percevant la menace, s'interposa entre son chef et la redoutable marchande. Il tenait son bouton d'une main négligente, pourtant ses frissons dévoilaient l'irruption de cette hargne qui généralement précédait ses exploits policiers.

Écarte-toi, ti-bonhomme ! lui ordonne Bouaffesse qui n'a pas peur. Mais Diab a déjà noué son regard dans celui de Doudou-Ménar, brusquement révélé. C'est l'affrontement silencieux de deux cruautés, un choc de piments dans une chaleur. Le major et la majorine se sont saisis, personne n'y peut plus rien. Bouaffesse lui-même recule un petit brin. Il pressent d'imminentes dévastations et ne peut s'empêcher de saliver comme à l'évocation d'un crabe farci. Nous-mêmes, notre terreur de témoins se dissipe sous la venue d'une soif de voir (ô nous aimons ces acmés de sangs, cette violence toujours florissante et disponible sans pourquoi ni comment). Doudou-Ménar a relevé le visage. Elle essaie de regarder de haut Diab-Anba-Feuilles qui pourtant la dépasse. Ce dernier, de frissons en frissons, s'approche jusqu'à la toucher. Avec le feu d'un regard il tente de lui faire regagner nos rangs, mais Doudou-Ménar s'enracine, raide et sans souffle. J'ai des outils pour toi ! lui crache-t-elle. —— Tu tu tu ne me connais pas ? enrage alors Diab-Anba-Feuilles, si tu ne me connais pas demande qui je suis, Diable, c'est comme ça qu'on m'appelle, et je suis un genre de caca pourri, tu comprends ça ? une calamité, et si je commence avec toi c'est jusqu'à la mort, je meurs sur toi, dayê pou yonn j'ai déjà envie de mourir, ô Jésus donne le sacrement car je vais mourir sur elle ! sé mô man lé mô ! tu as déjà fait un cirque à l'hôtel de police et tu veux recommencer ici aussi ? là tu as pris un 6 pour un 9, je suis pas Philibon, moi, Diable, j'ai déjà rempli treize tombes du cimetière Trabaut, et si on enterrait les vieux nègres et les coulis au cimetière des riches, j'aurais aussi mes plantations au cimetière des riches! va t'aligner! tu me vois avec le bleu de la Loi, tu te dis : aye, c'est un ma-commère!..., je ne suis pas un ma-commère han, je ne suis pas une commère, regarde si je suis une commère... ——— et il porte flap! le poing à la bouche, se mord hanm! rageusement, secoue la tête avec force pour s'arracher la peau. A-a! lèvres écartées sur ses dents sanglantes, il agite maintenant la blessure devant les yeux de sa proie : tu l'as vu celui-là? bougonne-t-il, gêné par le bout de peau entre ses incisives, tu l'as vu? aprézan zafê tjou'w, tant pis pour toi : J'AI SAIGNÉ POUR TOI!... Tout le monde est glacé. Les pompiers commencent à reculer. Nous-mêmes, alignés, retrouvons la terreur. Bouaffesse a levé un sourcil et bat des paupières : il n'apprécie plus. Le numéro de Diab-Anba-Feuilles manque légèrement de dignité officielle. Le coup du saignement, c'est des manières de gros nègres, pas celles d'un agent de la force publique, Diab, calme-toi souplé, tu es en service là, pas dans tes vagabonnageries!... ——— Chef, ne rentre pas dans ça! crisse le Méchant, j'ai saigné pour elle maintenant..., et il abat sur Doudou-Ménar qui ne voit rien venir le plus redoutable coup de boutou des annales policières ——— je pleure sur ça.

Cristi! Nul ne vit le boutou s'élever puis s'abattre. Le corps du policier s'était arqué, comme sous un choc électrique, et, là même, la grosse marchande trébuchait à ses pieds, tête en sang. La suite, par contre, se vit bien. Enroulée sur les chaussures administratives de Diab-Anba-Feuilles, Doudou-Ménar tressautait, la tête enveloppée dans ses bras. Le sang avait éclaboussé son cou et ses épaules. Son mouchoir de madras s'était envolé, libérant des cheveux défrisés, maintenant poisseux. Au-dessus d'elle Diab-Anba-Feuilles négociait son équilibre. Ses yeux tourbillonnaient, et sa gueule mousseuse débitait d'inlassables malédictions dans un créole qu'il ne pouvait plus réprimer : Man sé an makoumê ? ès man sé an makoumê ? mi oala ou défolmanté akôdi sé koko siklon fésé, han ! man sé pilonnen'w atê-a là, wi ! man sé grajé'w kon an bi manyôk ek pijé'w anba plat' pyé mwen pou fè'w ladÿé sos fyel-ou ! ou modi ! oala man menyen'w ou modi ! pon labé pé ké tiré'y ba'w é dyab ké ayé oute zo'w yonn aprélot ! mé ansé an jan mentsiyen, man grafyen'w ou pwézonnen ! fwa'w pwézonnen ! koukoun-ou pwézonnen ! dréséguidup anpé ba'w fifin bout'la *... ——— la compagnie des témoins avait brisé son alignement et s'amassait en une grappe informe où les corps et les têtes n'étaient plus accordés. L'épouvante maintenait le tout dans un silence spec-

* Je suis un pleutre ? suis-je un pleutre ? te voilà comme un cocotier dévasté par un cyclone ! oh, j'aimerais te détruire, te piétiner ! tu es maudite ! maintenant que je t'ai touchée, ton corps, ton foie, ton sexe sont soumis à ma malédiction ! aucun sacrement n'y pourra rien désormais ! tu es maudite ! relève-toi pour que je puisse t'achever !...

tral. Nono-Bec-en-Or, Jambette, Bobé, dédaignant le spectacle de Diab-Anba-Feuilles en crise, surveillaient méchamment l'assistance afin de dissuader la moindre intervention. Le regard fauve de Bouaffesse démentait une immobilité apparemment complice. En fait, devant Diab-Anba-Feuilles présentement inaccessible, il guettait la faille propice où un ordre impérial pourrait le restituer à son peu de raison. Dans l'occasion, il trompetta les grands moyens : l'état civil officiel de l'excité et un français-français (Monsieur Figaro Paul, siouplaît, dites donc là !), au son desquels Diab-Anba-Feuilles se statufia, et, s'il ne tremblait pas comme un chat empoisonné, je l'eusse décrit : immobile.

Le calme revenu souligna le désastre. Le brigadier-chef, s'essuyant une sueur temporale, soupira son *Andièt sa, pito !* des moments difficiles. Diab-Anba-Feuilles, boutou sanglant au pied, sombrait dans l'hébétude. Ses collègues avaient de nouveau aligné la compagnie des témoins, et se tenaient à ses côtés dans un garde-à-vous dont l'utilité relevait certainement de leurs secrets intimes. Les pompiers s'activaient au-dessus de Doudou-Ménar. Dans un silence nerveux qui dévoilait leur inquiétude, ils bandaient le crâne de la marchande avec les gestes précieux d'un affamé déterrant une igname. Insoucieux des finesses de cet art, Bouaffesse insistait : Remettez-la debout !... Les pompiers répondirent unanimement : Ce bobo-là est trop sérieux pour nous, chef, c'est l'hôpital qu'il lui faut !... Après l'envol de ses indices, son état des lieux mis hors d'état sous le gaoulé (ce qui final de compte et même sans addition, suffisait à garer sa carrière dans les glaciations parisiennes), le brigadier-chef refusa l'idée de voir s'en aller un témoin certainement capital. Le plus savant des pompiers intervint : On lui a fait un bandage, c'est la maximalité pour nous. Il faut bien voir la situation. Je ne veux pas te forcer avec de grands mots, Brigadier, mais la dame est tombée là sur un terrorisme crânien. C'est un grand mot de la médecine qui te paraît comme ça compliqué, mais qui en fait veut simplement dire que la tête de la dame est comme une tomate farcie... Explication qui provoqua une hésitation chez les hommes de loi : le brigadier-chef se caressait la moustache, ses acolytes dévisageaient respectueusement le pompier expliqueur. Mais Bouaffesse retrouva vite l'énergie des décisions tranchées : Messieurs les pompiers, approchez par ici souplé, voilà, je vais d'abord vous présenter les excuses de la République française et les miennes, vous avez reçu des coups de boutou par ici et par là, c'est pas méchant, ça chauffe le sang hein ? bon, il y a eu par ici l'assassinat d'une personne comme je vous l'ai déjà expliqué, vous la voyez ? le code pénal et les autres disent qu'il faut conserver les indices sinon pour celui qui pile un indice c'est la geôle direct ! vous comprenez ça ? donc, au nom du Code et de la République je dois vous expédier en geôle glouf ! puisque vous avez voltigé les indices, mais je suis un gentil, nul n'est censé ignorer la loi mais la loi sort de France et quand elle arrive au pays, même si on la connaît, on n'est pas obligé de la re-connaître, bon, alors j'ai décidé de vous laisser tranquille, au besoin d'un service passez à l'Hôtel me voir, par contre si vous envisagez de pleurer plainte, en guise d'ennuyer le procureur de la République et l'empêcher de manger à l'aise son steak-frites, alors là, moi-même je rentre dans l'affaire! si vous faites le cirque Pinder moi je donne les tickets à l'entrée et je fais les quatre lions!... oh, ce n'est qu'une supposition malfaisante, vous avez reçu des coups de boutou mais nous sommes des amis, maintenant emportez la tomate farcie à l'hôpital, Bec-en-Or accompagnez-les et restez tout le temps avec la dame car c'est un témoin qui ne doit pas disparaître, dites à la médecine de ne pas la laisser au coma car y'a une enquête criminelle qui a besoin qu'elle soit debout, bon, roulez messieurs, et bon vent!... ——— c'est ainsi que Doudou-Ménar se retrouva aux urgences de l'hôpital. Elle y fit le cinémascope habituel que je vous décrirai à seules fins d'expliquer pourquoi, durant quelques heures, à l'inverse de Solibo Magnifique, on la crut immortelle...

Il faut le savoir : sous le tamarinier, cinquante-six fourmis-manioc commencent à sillonner le corps de Solibo. C'est leur heure : un bout de matin, déjà loin de la nuit, où toute rosée a été bue, l'ombre germe au pied des choses, et un vent de ciel ramène la prime chaleur : c'est l'heure.

Le brigadier-chef sortit son calepin et s'approcha des témoins : Je vous écoute !... Stylo pointé sur une feuille, il ne regardait précisément personne, mais tous ressentaient en des endroits divers l'accablante pesée de sa vigilance. Le brigadier-chef longea la file muette et choisit sa première victime : Nom, prénom, âge, adresse et profession, siouplé !... Le témoin répondit d'un ton faussement enjoué : Charlot, chef ! Tu ne me reconnais pas ? Je fais de la musique... le dernier bal de la police... ——— Son allant fut brisé net par l'exaspération de Bouaffesse : Tu me dis Charlot, Charlot, c'est quoi Charlot ? Charles de Gaulle ? Charlemagne ? c'est Charlot qui joue dans les films comiques sans jamais ouvrir la bouche alors qu'on a payé le cinéma ? c'est quoi, han ?... ——— D'un ton plus mesuré, Charlot déclara s'appeler Charles Gros-Liberté, être déposé sur terre par sa manman depuis quarante-quatre ans, son âge, et demeurer rue du 8-Mai à la cité Dillon. Quand Bouaffesse lui demanda : Quel genre de travail tu fais pour le béké * ?, il confia tout à l'aise : Je suis

* Terres, usines, et les structures de production économique (directe ou indirecte), appartenaient aux békés. Quelle que soit sa fonction, l'on travaillait *pour* les békés. L'expression est restée, d'autant que les choses ont peu évolué.

soufflant dans l'orchestre Combo Band, chef...

— A pa vré ! révéla perfidement Diab-Anba-Feuilles qui s'était refait, Combo Band a coulé depuis l'année dernière !

Le brigadier-chef, stylo en suspens, libéra sur Charlot un regard infernal : Alors comme ça tu es soufflant dans un orchestre qui n'existe plus ? ! Toi, tout seul, tu es le Combo ? Moi, je te demande gentiment ce que tu fais pour le béké, toi tu me dis soufflant mais l'orchestre est invisible ? Et quand tu joues, tu deviens invisible aussi, c'est ça ?... ——— Rires épais et gras : tout le monde avait sorti les molaires. Il était bon d'apprécier l'humour de Bouaffesse, et encore mieux qu'il le sache. Charlot, en raison de sa position, en rajouta un peu : plié, mains au ventre, chaque coin d'œil inondé de douze larmes d'écrevisse, il se roulait kia kia kia dans la poussière. Or, la sagesse prévient : *trop de sel gâte la soupe !* Le brigadier-chef lui abattit son boutou sur les reins en hurlant : Ou ka fè lafèt épi mwen, tu te moques de moi !... Projeté sur pieds, rire étranglé, bien emmêlé, Charlot, se tortillant, essayait d'adoucir d'une main la brûlure de son dos : Qu'est-ce que tu m'as fait là, chef, ouye tu te laisses aller... *Paix-là !* hurla Bouaffesse ——— et, à quarante-quatre ans, alors que sa mère ne l'en menace plus, que son père ne l'a jamais osé, et que dans un champ, à cette heure, aucun béké ne s'en serait servi, Charlot qui n'en croit pas sa douleur, reçoit SISSAP ! une calotte (policière).

Permettez-moi un quart de mot sur les calottes de Bouaffesse. Elles sont connues jusqu'à Grand-Rivière où un nègre archaïque, qui n'a pourtant jamais connu la ville, peut en dire quatre paroles. Il prétend que notr' homme a passé une nuit de vendredi saint, étalé tout au fond d'un caveau avec (kyrié éléison !) les mains trempées dans un pourri de cercueil. Il dit aussi qu'à l'aube, Bouaffesse les a saupoudrées * d'encens, et que depuis, quand il lève la main, c'est un cimetière qui te donne la calotte. On me l'a dit, je vous le répète, mais an-an ne me mêlez pas dans ces qualités d'histoires-là.

Charlot, d'abord surpris, ne peut plus retenir l'eau de ses yeux, elle rivière sur ses joues et s'éteint à l'encolure de sa chemise. Qu'aurait-il pu faire d'autre ? Après une telle calotte on ne peut que pleurer : pâleur mortuaire en stigmate, elle ne s'en ira plus. Terrorisés, les témoins préfèrent s'imaginer à l'horizon, dans un lointain de nuage que le soleil pâlit. Le brigadier-chef, impassible, a ressorti son calepin et gronde : Maintenant réponds sans paroles inutiles : ... qui a tué Solibo ?... L'interrogation assèche immédiatement les larmes de Charlot. Bouche battant d'un air irrespirable, il ne retrouve sa voix que pour gémir, effaré : Tué Solibo ? Tué Solibo ?

* Obin *fatrasé,* akôdi fòs a yanm.

Bouaffesse allait reprendre l'épouvantable question, quand il repéra une vingtaine de curieux se dirigeant vers le cadavre avec des yeux pour western. *Où allez-vous ces messieurs-là ?...* Les curieux, effrayés, se retrouvèrent à cinquante mètres. Certains estimèrent plus sage de ramasser leur corps et de lire la suite, un de ces jours-là, dans *France-Antilles.*

— Jambette, mets quequ' chose sur le macchabée, siteplaît...

L'intéressé s'en alla explorer le car et revint porteur de quelques bouts de carton sale qu'il s'apprêtait à disposer sur le corps. Une voix s'en indigna : Héti hanman mwen pou'y houê ha anka houê la-a ?! Pon hespé alô ?!... Bouaffesse sursauta. Stylo en main comme une épée, il longea la file des témoins : Qui a parlé là ? qui a parlé là ?... Tandis que Diab-Anba-Feuilles retrouvait ses tremblements, que Bobé portait une main de cow-boy à son pistolet, Jambette ressortit discrètement son mouchoir. *Qui a parlé là ?*

— Sé'm, c'est moi !

Et le brigadier-chef découvrit une étrangeté de nègre, des yeux d'arrière-monde, une dignité misérable : Congo. Le vieillard s'était dressé en face du policier, les mains ouvertes à hauteur des oreilles dans un geste de refus bouleversant : Pon houn ni dwa hê Holibo ha, nul n'a le droit d'humilier Solibo ainsi !... Le vieux-corps ôta vigoureusement sa chemise, le vieux-corps ôta son pantalon, le vieux-corps ôta son tricot et déplia son mouchoir, puis, à Bouaffesse médusé de voir des yeux si anciens s'embuer de larmes, le vieux-corps tendit le tout, exigeant d'une voix brisée qu'on en couvre le cadavre. Le brigadier-chef prit les vêtements d'un geste mécanique et, sans cesser de fixer Congo, les tendit à Jambette qui s'exécuta. Bouaffesse était visiblement impressionné par les rides de vie, la hauteur des années. Sa génération s'était levée avec le bonjour à la bouche pour les vieillards, l'obéissance inconditionnelle, la tête baissée afin de prévenir l'insolence d'un regard. Ce que n'avait pas compris le psychologue auvergnat, c'est qu'il avait identifié, aimé et respecté son père (le nommé Gros-Désors pour lequel il n'était que le chiffre 16) à travers les nègres d'âge. C'est pourquoi, devant Congo, malgré les démangeaisons de ses mains maudites, il balançait, pensif. Et puis ce geste ? Le vieux qui se déshabille dans le dessein de couvrir les restes de Solibo, exposant là au soleil sa peau minérale, son corps sec de bambou immortel, son caleçon de toile-sac introuvable en magasin. Ses orteils torturaient des sandalettes chinoises et agrippaient la terre. Pourquoi te mettre tout nu pour un cadavre déjà mort, Papa ho ?..., murmura Bouaffesse en allongeant le menton. Congo eut un geste large comme s'il désignait une perspective de ciel : Hé Holibo hilà, wi, il s'agit de Solibo !... Malgré lui, Bouaffesse, se retournant, observa le cadavre, et revit un nègre gonflé, un nègre de rien comme on en rencontre derrière les marchés, pas même assez grand pour jouer au basket, avec des pattes trop fines pour semer du football ou fumer dans les cent mètres. Et puis il était mort sans classe, gueule ouverte, yeux même pareils, à dire un coupeur de cannes touché par la bête-longue. Il revint à Congo, apprêtant stylo et calepin : Tu dis Solibo, mais ça c'est pas un nom, c'est une nègrerie, son nom exact c'est quoi ?

— Holibo bidjoul !

— Bon, tu ne connais pas son nom. Et qui est-ce qui l'a tué, han ?

Congo lui parla d'une égorgette de la parole, et Bouaffesse resta muet, soupçonneux, se demandant s'il avait bien entendu. C'est en hésitant qu'il se fit préciser : Papa ho, je ne comprends pas comment une parole peut égorger quelqu'un... ?

— Ha di yo di'w ! admit Congo.

Ce qui, dans une autre langue, peut signifier : Moi non plus !

Bouaffesse macayait encore, à ainsi dire troublé. Beaucoup d'étrangetés dans cette affaire-là. Pas une chopine de réponses mais un tonneau de questions. Il paraissait tellement figé que Bobé se pencha vers Jambette pour savoir si le chef était entré en philosophie, et pourquoi il n'écrase pas la gueule de ce vieux nègre-là, hébin ? En vérité, le brigadier-chef tentait de mobiliser ses ressources. L'affaire aurait déjà dû être transmise à l'officier de police de permanence, en une procédure que Bouaffesse n'appréciait guère : elle ôtait aux agents en uniforme l'éventuelle gloire d'une photo en journal. On leur enlevait la viande, ne leur laissant que le pain du trempage ——— et sans sauce, précisait-il dans les réunions syndicales. Et comme par-ici les officiers de police judiciaire étaient des Français de France, et les uniformes, des bougres natifs-natal, chaque transmission de dossier se voyait brouillée du grincement des orgueils. Les choses étaient ce jour moins dramatiques : l'officier de permanence, Évariste Pilon, était d'ici, un nègre savant qui avait sillonné les universités avant d'atterrir dans la police en France, puis à la Brigade criminelle au pays. Malgré tout, le brigadier-chef tenait à solutionner le problème avant de l'appeler comme l'en incitait une impulsion. Il se devait de manier une intelligence en un tac de temps et trouver un coupable. Car *on avait tué*! Cette histoire d'égorgette en était la belle preuve. Il guettait chez les témoins la sueur accusatrice, l'œil fuyant d'avant-confesse qui trahit les assassins : or ces derniers, l'un à l'autre accrochés, n'étaient plus que frissons. Cela lui ouvrait de nouvelles pistes : *conspiration!* ces chiens-là s'étaient mis à plusieurs pour assassiner le nommé Solibo. Ah ! les isalops, ils se rassemblent maintenant pour tuer un nègre, un, deux, quatre, sept, treize, plus la tomate farcie que j'ai envoyée à l'hôpital, quatorze, quatorze pour tuer un zouave ! ils se sont crus à la guerre d'Algérie, holà ? Ce Solibo devait être un drôle de bougre, Magnifique, on le criait Magnifique, mais c'était quelle personne ce citoyen-là ?... Du coup, devant Congo, il n'hésita plus. Afin de coincer ce vieux nègre vicieux, il fallait le traquer au français. Le français engourdit leur tête, grippe leur vicerie, et ils dérapent comme des rhumiers sur les dalles du pavé. En seize ans de carrière, le brigadier-chef avait largement éprouvé cette technique aussi efficace que les coups de dictionnaire sur le crâne, les graines purgées entre deux chaises et les méchancetés électriques qu'aucun médecin (assermenté) ne décèle.

— Bien. Maintenant, Papa, tu vas parler en français pour moi. Je dois marquer ce que tu vas me dire, nous sommes entrés dans une enquête criminelle, donc pas de charabia de nègre noir mais du français mathématique... Comment on t'appelle, han ?

— Onho.

— Ça, c'est ton nom des mornes. Je te demande ton nom de la mairie, de la Sécurité sociale...

— Bateau Français, articula Congo comme s'il mâchait un lambi chaud.

— Raconte-moi en français ce qui est arrivé à Solibo là...

— Han pa jan halé fwansé.

— Tu ne sais pas parler français ? Tu n'es jamais allé à l'école ? Donc tu ne sais même pas si Henri IV a dit « Poule au pot » ou « Viande-cochon-riz-pois rouge » ?...

Autour d'eux, les curieux s'agglutinaient : An moun mô, un mort!... La nouvelle avait descendu les rues avoisinantes et posé son signal au bout de la Jetée. Les capitaines des pétrolettes, les pirates errants des voiliers de la rade, les chauffeurs de taxis et les marchandes de bizarreries touristiques, ramenèrent leur corps et leurs questions. Puis vinrent les jardiniers de la Savane, les employés des banques proches, les vendeurs de jus glacé et de sorbets aux trois parfums, quelques gens des communes en descente, des Sainte-Luciens déguisés, des Dominicains à moitié invisibles, deux-trois rastas matinaux, une femme folle couverte de farine blanche, un journaliste militant (excité par ce qui ne pouvait qu'être un méfait colonialiste), et toute une catégorie de ces irréductibles qui parviennent encore (Dieu sait comment!) à dérouter les dispositifs d'assistance à l'exil. L'endroit prenait donc des allures de marché à l'heure du poisson rouge. Cris. Étonnements. Condoléances aux témoins alignés. Malédictions aux origines indécelables, en direction des policiers. Malgré les grimaces de Diab-Anba-Feuilles, le mouchoir qu'exhibait Jambette et les œuvres digitales de Bobé sur la crosse de son arme, l'ambiance partait au mal. Depuis son ciel bleu métal des journées de chaleur, le soleil allongeait les ombres. Le brigadier-chef se rendit soudainement compte qu'il n'avait plus les moyens de tenter quoi que ce soit. Ce vieillard qui, sans respect de son âge, mentait avec la foi en Dieu le bouleversait. Plus le temps de déployer une intelligence, Pilon confondrait les coupables lui-même. Congo demeurait devant lui, ridicule dans son caleçon, plus impénétrable qu'une falaise du Lorrain.

— Bon, d'accord Papa, abandonna Bouaffesse, tu ne parles pas français... Raconte-moi vivement ce qui est arrivé à ce Monsieur Solibo-là...

Congo lui dit ce qu'il savait. Le brigadier-chef plissa les paupières en rejetant la tête en arrière comme le font les vieilles négresses que l'on cherche à tromper. Congo soutint ce regard. Pressé par le temps, Bouaffesse rompit en moins d'une minute et lui posa sur l'épaule une main conciliante : Papa, je ne comprends pas : quand il est tombé, il a bien crié « Patat' sa ! », non ?

— Wi ! dit Congo.

— Quand un nègre crie « Patat' sa ! », c'est qu'il y a quelque chose qui l'a échaudé, non ? Alors, il crie, il tombe et personne ne bouge pour aller voir, pour lui donner du vent, une frictionnade au bay-rum, et il a le temps de devenir aussi raide qu'une tête de pain rassis ?

— Wi ! maintint Congo.

Alors Bouaffesse brandit une de ses mains maudites avec plus de rage que s'il s'apprêtait à briser une bête-longue. Au moment de l'abattre, ses yeux croisèrent ceux de l'Antique : la main de cimetière resta bloquée à l'envol, vibrant d'impuissance, ab hoste maligno libera nos, domine !

Congo ne bouge pas. La diablerie est dressée au-dessus de son visage, mais il ne bouge pas. Nous ne pouvons distinguer ses yeux car il est de profil. Par contre, Ti-Coca nous le voyons de face : sa moustache tombe comme un parapluie fermé. Sourcils dénoués sur un regard rond-fixe, il déchiffre celui de Congo. Inquiet de voir Bouaffesse stoppé dans son ahan, Jambette se signe à l'envers. Les tremblements rythment Diab-Anba-Feuilles qui se rapproche, prêt à toutes qualités de massacres. Nous-mêmes, enfilés raides, suivons l'affrontement d'un œil en coin, tant il semble hasardeux d'esquisser une remuade. Les curieux sont à quelques mètres, bloqués sur leurs positions par Bobé qui westernise l'énervement d'un shérif à la porte d'un saloon. Sans trop comprendre, la foule s'émeut de l'affrontée du brigadier et du vieillard, Congo a trop d'années à respecter, si bien qu'après de vagues commentaires, surgissent les menaces ouvertes : C'est pas bon ! Pas de mains avec un vieux-corps ! Et si c'était ton Papa, isalop ?! Ti-Coca, ne le touche pas !... Puis, fusant de nulle part, grailleuse d'amertume, surgit l'injure qui dérespecte la mère, l'injure suprême : *Ti-Coca, b'da manman'w !...* Oh, Bouaffesse bondit sur lui-même, sifflet à la dent, boutou et pistolet dans une serre de phalanges. Une bousculade disperse les curieux. Diab-Anba-Feuilles se dresse vivement aux côtés de son chef, disponible pour la crise. Profitant du bankoulélé, nous engageons une fuite mais Jambette nous menace de son mouchoir assassin : Restez là sinon y'aura du saignement !..., nous reprenons la raide enfilade. Le brigadier-chef revient vers Congo, l'air apaisé. Diab-Anba-Feuilles, mains en visière, reste à scruter la foule, se gravant les visages en mémoire en vue de ses vengeances froides. Du coup, malgré l'éloignement, des chapeaux-bakoua glissent sur les yeux, des mouchoirs voilent les nez. Certains ramassent tout bonnement leur corps. Dans un calme relatif Bouaffesse, revenu à Congo, gronde : Tu as failli m'énerver là, Papa ! Tu crois que je vais avaler ton histoire d'égorgette ?! Solibo tombe avec une criade de douleur et vous restez devant lui comme devant un dessin animé ?! Hein ?! Il sent déjà comme une eau de dalot mais personne n'avait vu qu'il était mort ?! HEIN ?!... Reculant d'un pas, il nous englobe de sa fureur : VOUS AVEZ PRIS LA POLICE POUR DES MICKEYS, OU QUOI, CES MESSIEURS-LÀ ?!... D'un geste méprisant, il intime à ses acolytes de nous embarquer. La terreur nous reprend : Non chêf, nooon chêêêf, on n'a rien fait chêf, assez dire chêf, je dois aller travailler, oh manman... Les policiers nous canalisent de calottes en boutous, de coups de pied en coups de tête. Nous tombons dans le car. L'odeur y réveille d'anciennes cicatrices. Entassés autour des vitres à grillages, nous pleurons gueule ouverte.

Mille fourmis-manioc sillonnent le corps de Solibo. Elles sortent de la terre, des racines, de l'écorce, elles sortent de l'air et du temps, elles sortent du bout du monde, porteuses d'une éternité affamée sous laquelle Solibo ne bouge pas. Le Magnifique semble vraiment perdu pour nous. Ses chairs mènent une vie qui n'est pas la vie. Son nylon, son tergal et son petit chapeau ternissent. Et ses chaussures, déjà, ne brillent plus.

Pin pon pin pon les ennuis des pompiers commencèrent bien avant l'hôpital où ils emmenaient-aller Doudou-Ménar. Éblouis par l'or massif du dentier que le gardien de la paix Nono leur exhibait, ils se répertoriaient les dents pourries, et mille devis de dentistes torturaient leur conscience. Doudou-Ménar ouvrit donc les yeux dans l'indifférence générale. La Redoutable bondit si rageusement du brancard que le véhicule tangua, forçant le chauffeur à perdre la ligne droite. Éti isalop là, où est ce salaud? hurlait-elle. Déjà, crochetant Nono-Bec-en-Or par les trous-nez, elle lui éclatait ses lèvres molles, ses gencives découvertes. Le policier, projeté, brisa la vitre arrière et ne dut qu'au hasard de rester en dedans. Malgré sa mâchoire démontée, son sang giclant, il se lança dans une recherche fiévreuse de sa fortune dentaire : Lô mwen, mon or, Lô mwen!... Les pompiers soulagés virent Doudou-Ménar retomber comateuse. Mais ce n'était qu'un sursis car, à l'entrée des urgences de l'hôpital, ils la transféraient sur un chariot du service, quand Nono retrouva son dentier disloqué. Le policier poussa un cri de marchande-poisson. Ses mains tremblantes recueillirent les débris aurifères au creux d'un mouchoir soigneusement empoché, avant qu'il n'abatte une rage de boutou sur la masse inerte de la Grosse : An kè tjwé'y, je vais la tuer!... Ce traitement réveilla la Redoutable qui fit voltiger deux pompiers, le brancard et le chariot. Elle descella une des portes de l'ambulance et la projeta au travers des vitres du service des urgences. Elle cueillit Nono-Bec-en-Or par la peau du ventre, le chiffonna comme un papier de fin d'allocations, et le fracassa contre les parois internes du véhicule. Les pompiers rescapés, les aides-soignants, les infirmiers, les brancardiers et l'interne de service la virent horrifiés, tenter de s'envoler vers eux, avant qu'elle n'éclate d'un rire dément et ne s'affaisse d'un bloc. Les pompiers s'empressèrent de l'ajouter à la longue file des estropiés du carnaval (ces derniers, pleurant leurs hémorragies délaissées, s'interrogeaient sur le degré de délabrement utile pour devenir urgent au service des urgences), puis ils récupérèrent Nono-Bec-en-Or qui n'était plus qu'un caillot bleuté, et le posèrent lui aussi sur un chariot d'attente. Ils s'apprêtaient à regagner leur caserne quand l'Enragée se réveilla. Leurs réflexes furent inouïs. Doudou-Ménar n'avait même pas posé le pied que les pompiers démarraient en trombe, sirène hurlante, gyrophare en folie. Nono-Bec-en-Or lui-même, mystérieusement alerté depuis un fond d'inconscience, s'envola de sa couche vers un proche escalier. Dépitée de cette fuite, la marchande empoigna son chariot et se mit à sarcler la file des estropiés. L'ordre des urgences fut ainsi bouleversé : tel comateux se réveilla vibrant d'un nouveau traumatisme, tel autre à petit bobo sec se vit rompre la conscience et sombrer en coma, tel interne, tout à l'heure peu pressé, s'emballait maintenant sur son propre sang, et les deux infirmières, auparavant désinvoltes, réclamaient un secours très urgent. Au comble de la dévastation, la Redoutable leva le pied en direction de la ville, puis de la Savane, hurlant : Diab-Anba-Fey an ké défolmanté'w, Diab-Anba-Feuilles je vais te tuer !... Certains badauds, l'apercevant en route, crurent y rencontrer l'amorce d'un cortège de cette journée carnavalesque, d'autres, l'agonie sale d'un vidé * de la veille (Dieu ! quelle vagabonnagerie...).

Sans y voir les fourmis, le brigadier-chef toisait le cadavre en se grattant les fesses à deux mains. C'était chez lui un signe de désarroi nerveux : il avait perdu son temps, s'était créé un désagrément avec les pompiers, n'avait pas su conserver les lieux en l'état, et ne savait rien des mobiles du crime, ni de l'identité du ou des

* Un mélange de vocalises, de danses et de courses qui concluait nos bals. Conseil : ne le pratique à présent que pour le carnaval.

coupables. Seule consolation : la troupe d'individus retenue dans le car. Ses sbires maintenaient les curieux à dix mètres à la ronde. Seul un reporter du journal *France-Antilles* fut admis dans le cercle, photographiant le brigadier-chef et ses zouaves en pose avantageuse devant le cadavre, puis le car d'où s'élevaient des prières et des pleurs. À son départ, Bouaffesse était entré en méditation auprès de Solibo jusqu'à ce que, les curieux devenant intempestifs, Diab-Anba-Feuilles (convulsant) menaçât d'un exploit. Il rejoignit le car, pianota sur la radio, gronda : C'est le chef, passe-moi Pilon !..., patienta auprès de l'appareil grésillant, perdit patience : Tu es en train de battre une douce ou quoi là ?..., et se détendit quand le poste cracha d'une voix neutre : Inspecteur principal Pilon, j'écoute... C'est ainsi que la Brigade criminelle s'empara de la mort du Magnifique (pas de mise en garde pour les jours de malheur ——— et j'en pleure).

3

MES AMIS, A-A !

L'INSPECTEUR PRINCIPAL
TRAVAILLE LÀ DU CERVEAU
ET NOUS TRANSFORME EN SUSPECTS
D'UNE ENQUÊTE PRÉLIMINAIRE...

(Qui pleurer ?
Doudou-Ménar.)

À l'heure où l'inspecteur principal, Évariste Pilon, entra dans l'affaire Solibo, le soleil avait déjà dissous les nuages de la nuit. Sa permanence s'était faite routinière : lecture de dossiers en cours, rédaction de procès-verbaux, d'imprimés en retard. Laissant au brigadier-chef l'habituel flux des saignés dont il fallait enregistrer les navrances, il s'était contenté d'apparaître, garant des procédures. Pour le reste, il s'était ennuyé... Nègre à barbiche, sans moustache, toujours coiffé (sauf aux Assises où il prête serment) d'un bakoua ramolli par l'usage, Évariste Pilon est un grand détective. C'est, du moins, ainsi que l'avait sacré le journal *France-Antilles,* quand il élucida en moins d'une semaine l'affaire du quimboiseur empoisonné par l'eau d'un bénitier ou cette énigme déplorable de vieille mulâtresse désossée dans une case hermétique. Pourtant, amateur de mystères policiers, l'inspecteur principal n'appréciait guère le côté irrationnel des « affaires » d'ici-là. Les données de base n'y étaient jamais au fil à plomb, une dose déraisonnable, légèrement maléfique, embrumait le tout, et comme l'inspecteur, malgré son long séjour au pays de Descartes, avait levé ici-dans comme nous-mêmes dans la même intelligence de zombis et soucougnans divers, ses efforts scientifiques et de logique glaciale dérapaient bien souvent. Il s'y tenait au prix d'un arcane mental assez désagréable, et rêvait encore pour ici, au jour de la mort de Solibo, d'un mystère tracé au compas (et à l'équerre). Donc, policier à cerveau. Pas un policier pour accident de mobylette, bœufs égarés, Dominicains sans papiers, voleurs de poules sans œufs ou marchandes aux balances trafiquées, non. Pas non plus de cette qualité de policiers à lunettes noires, ombre portée des gens qui veulent l'Indépendance. Un policier à tête fine, vicieux comme un rat sans queue, mais qui malheureusement ne trouve pas toujours matière à chauffer sa cervelle dans nos histoires de rhum sale et de coutelas faciles.

À l'heure de l'affaire Solibo, il vit en concubinage avec une chabine tiquetée, pétitionne pour le créole à l'école et sursaute quand ses enfants l'emploient en s'adressant à lui, sacre Césaire grand poète sans l'avoir jamais lu, porte son bakoua de soleil et des chaussettes d'hiver, vénère l'antillanité du théâtre de Juillet et rêve des boulevardises de la troupe Jean Gosselin, commémore la libération des esclaves par eux-mêmes et frétille aux messes schoelcheriennes du dieu libérateur, refuse le sapin de Noël et enneige son arbuste filao, pratique le mémorial Frantz Fanon qu'il ne juge opérationnel que dans les pays de l'horizon, vote Progressiste aux municipales, s'abstient aux législatives et crie « Vive de Gaulle » aux urnes présidentielles, cultive un sanglot sur l'Indépendance, un battement de cœur sur l'Autonomie, tout le reste sur la Départementalisation, final, vit comme nous tous, à deux vitesses, sans trop savoir s'il faut freiner dans le morne ou accélérer dans la descente.

Une précision : dans l'ombre de son bakoua, sous des paupières tombantes qui lui donnent l'air blasé, Évariste Pilon a les gros yeux d'un crapaud-buffle traquant sous une pluie fine les hannetons des cannes à sucre.

Il arriva en 4 L banalisée. Derrière, suivait une 403 familiale d'un bleu police, à gyrophare, où se tenaient le docteur Siromiel, des policiers en civil porteurs de matériel photo, de valises métalliques et de tout un lot d'outils bizarres. Le brigadier-chef se précipita : Ho inspecteur, j'ai déjà fait presque tout le travail pour toi... L'inspecteur avait les yeux éteints, une fatigue lui creusait les os et le café de la nuit n'agissait qu'en tics nerveux dans la chair de ses joues. Dans un coin de ses lèvres, saupoudrant sa barbiche de cendres, un mégot suffoquait. Ses rapports avec Bouaffesse étaient une chimie d'attirance-répulsion : si le personnage était intéressant, sa truculence, ses pratiques policières l'étaient moins. L'inspecteur principal ne l'avait jamais expérimenté lui-même, mais, au dire de ses collègues métropolitains, enquêter avec Bouaffesse relevait du délire tropical. Cependant, son bon sens et ses réflexes le rendaient utile en certaines circonstances. Où est le corps ? bougonna Pilon. Il leur fallut infiltrer une foule compacte avant d'atteindre la zone libre, protégée par les acolytes de Bouaffesse. L'inspecteur principal les salua d'un geste et se dirigea vers l'arbre d'un pas mesuré. Ralenti malgré la fantasia des curiosités de la foule, il pivotait sur lui-même sans un regard pour le cadavre, fixant le sol avec une insistante surprise. C'est rien, se sentit contraint d'expliquer Bouaffesse, les pompiers ont couru là dans tous les sens... Pilon, toujours muet et toujours étonné, s'accroupit à la frange d'une auréole sanglante. C'est la sauce d'une dame suspecte, reprit Bouaffesse, elle a voulu faire un cirque avec nous, un coup de boutou l'a remise en paix et je l'ai envoyée aux soins de l'hôpital en compagnie de Bec-en-Or, c'est rien... Quand Pilon s'inquiéta d'une telle saignée, Bouaffesse recommença : Oh c'est rien, elle est grosse comme une bombe margarine, ça va lui faire du bien... son nom c'est Doudou... heu... Lolita Boidevan, c'est elle qui a fait l'annonciation du cadavre... Alors, comme s'il se réveillait, Évariste Pilon prononça d'une voix claire : Les lieux ne sont donc pas en état : ils ont servi de champ de bataille...

— Bataille, bataille ! Tu vas pas me dire qu'à cause de deux-trois coups de boutou par-ici et par-là, qu'il y a eu la guerre 14-18 ici-dans ! Quelle guerre tu as fait toi ? Si tu avais connu l'Algérie, tu aurais vu qu'est-ce que c'est que quoi qu'est une bataille éti moun ka senyen moun, où cela saigne vraiment !...

L'inspecteur principal ne l'écoute déjà plus. Il bouge à peine, se penche mais ne touche à rien, à dire qu'il veut s'imprégner de la réalité. Malgré une peur taraudante, nous l'observons depuis la vitre grillagée du car, avec la soif ouverte d'un désert découvrant une goutte d'eau. Ô certitude bienfaisante : lui peut savoir et comprendre que nous n'y sommes pour rien, que Solibo est mort en s'écriant *Patat' sa !*, éjecté de la vie dans un virage du destin. Nos lamentations s'enroulent et nous étouffent. Charlot n'est pas avec nous auprès de la vitre : effondré dans un coin, il tâte avec terreur sa joue blanchie par la calotte maudite, de diaboliques démangeaisons y naissent. Une coulée de soleil dévoile des voltiges de poussière, et Sucette hoquette et vomit, pleurant à l'idée que Solibo soit mort, qu'il pourrisse sous un arbre, sans l'amour, le respect. Sous la vitre latérale qui donne sur le tamarinier, Ti-Cal, Congo, Bête-Longue, Zozor Alcide-Victor, Pipi, Didon, Zaboca, Cœurillon et moi-même mélangeons nos tremblades et nos sueurs. Sidonise qui depuis quelques instants semblait noyée dans un lointain, se met à murmurer une histoire inaudible. Un étrange sourire transfigure sa souffrance, son regard bouge au gré d'un envol d'images intérieures. Il y a là un souvenir rôdeur, de ceux que la mort draine en marée dans la tête, dans le cœur, dans les rêves. Oh, comme la vie se dissimule !, n'accorde que peu d'elle-même, laissant aux saisons de la mort l'essence de ses tiges, le parfum mal perçu de ses fleurs. Là encore, par la petite marchande de sorbets, Solibo s'impose à notre détresse, la dissipe comme font certaines églises du chagrin des dévotes. Charlot en oublie sa joue et lève un regard de ses yeux inondés.

Il était là quand j'ai acheté le requin, murmure Sidonise. Pas un requin sauvage qui mange les gens, mais un bon requin-vache, lisse, à chair rose. Je ne l'avais pas vu depuis l'antan, et je vivais sans lui comme un oiseau vit hors d'un nid, avec les plumes ébouriffées, le sommeil contrarié. Avec Dalta, ça n'avait pas été bien loin, et je m'étais retrouvée seule à case, avec les enfants. Dalta était parti disant que mon cœur était trop plein de quelque chose pour quelqu'un d'autre, qu'il avait beau frapper à l'entrée rien ne sonnait à l'intérieur. Je n'avais rien dit, car Dalta avait raison. Solibo m'habitait de partout, on dit le cœur, le cœur, mais je crois bien qu'il habitait mon ventre aussi, qu'il habitait mes rêves, et que dans ma mémoire il avait tout dévasté, à dire un figuier maudit, assassin des alentours. Comment appeler ça ? Si quelque chose m'amusait, j'étais triste, cagoue, que Solibo ne soit pas là pour en rire avec moi. Lorsque la journée était belle, qu'aucun enfant n'était malade, que le jardin donnait bien, que les sorbets se vendaient mieux que de la viande salée, qu'en moi-même une vie montait, éclairait mes yeux, portait des chansons à ma bouche, j'étais malade que Solibo ne soit pas là pour en vivre avec moi. Alors je peignais la tristesse, je la coiffais dans tous les sens, j'y versais l'eau de mon âge comme dans ces plantes avares d'une fleur. Comment appelez-vous ça ? (On ne sait pas, Sidonise, on ne sait pas...) En plus, je n'avais pas le courage d'aller le trouver, de me porter devant lui comme un bouquet cueilli, et lui dire : Solibo ho, ta négresse meurt sur elle-même... Je suis comme ça, mes cheveux ne sont pas des cheveux mais des lianes d'orgueil, et quand mon cœur étouffe, que je me sens couler, c'est à l'orgueil que je vis, que je mange, que je respire, comme ces voitures du temps de la guerre qui roulaient à l'alcool. Mais j'aimais bien, sans qu'il me voie, aller entendre ses paroles, et comme je ne savais jamais où il ouvrait la bouche, je me renseignais à gauche, à droite, offrant un sorbet à qui savait où entendre Solibo. Ah, Sucette, tu m'as soutiré des sorbets avec ça ! (Mais tes sorbets sont bons, Sidonise...) Alors quand je l'ai vu auprès du bateau où j'achetais mon requin, je lui ai dit : Solibo, écarte-toi pour que j'aille préparer mon touffé... Hi, hi, c'était manière de lui dire : *Solibo, viens goûter le touffé de Sidonise*... Il m'avait bien comprise car je n'avais pas encore déposé mon sac de commissions, qu'il déboulait chez moi. J'étais contente, oui ! C'est lui qui a coupé la tête du requin, qui l'a vidé, qui l'a échaudé pour décoller la peau. Avec des gestes d'abbé à l'office, il avait disposé les morceaux de poisson dans la bassine de marinade. Il tentait de m'étourdir par ses paroles, mais je respirais son odeur, je frottais mon épaule contre son épaule, je le regardais par en dessous, heureuse comme une libellule sous la rosée. Faut dire aussi que je guettais le travail de ses mains, car Solibo est fort dans le manger ! Quand il t'avait préparé une daube ou une soupe d'habitant, tu risquais de te mordre chaque doigt tellement ta bouche battait ! (Oh, belle parole, Sidonise...) J'espionnais sa marinade avec des yeux pointus, je comptais les citrons qu'il purgeait, ses poignées de sel, sa manière d'écraser le piment rouge et de tailler le vert, de pilonner le poivre, les gousses d'ail et l'huile avant de les ajouter. Mais après les oignons et l'eau tiède, quand un parfum de bénédiction fit chanter le poisson, je compris que Solibo m'avait encore couillonnée : sa marinade était restée secrète ! (Oh, il était vicieux, Sidonise...) Ensuite il a lavé le riz plus longuement qu'un caleçon, l'a mis sur le feu, puis l'a relavé au premier bouillon à la manière des Réunionnais. Là, je ne surveillais plus car pièce bougre d'ici ne peut montrer à Sidonise comment manier du riz ! J'écoutais son babillage en sucrant un madou pour le punch. Puis nous avons siroté, entre des paroles inutiles, de temps en temps je lui disais que Dalta était parti, que j'étais seule, mais lui ne guettait que la vapeur du riz, le travail de la marinade qu'il remuait sans arrêt : Maria tu sens ça, Maria ?... La chair du requin aspirait les épices, des odeurs de coquillages allaient en montant. Nos trous-nez étaient ouverts à toutes et on laissait écumer la salive... Maria, ma commère, ferme la fenêtre, les voisins vont venir, rigolait Solibo. Il n'avait pas tort. Des nègres à gueule douce commençaient à rôder : *Bien le bonjour Man Sidonise, et la santé ?...*, et snif-snif par-ci, snif-snif par-là..., *Alors Mââme Sidonise, ça fait tellement longtemps que je ne t'ai pas vue, tu vas bien ?...*, et ils allongeaient le cou snif-snif, snif-snif... Je fermais un œil et je les regardais de côté : Eh bien un tel, tu as rêvé de moi aujourd'hui, alors ?!... Solibo agitait ma bouteille et les invitait à entrer. En un petit moment douze gueules coulantes remplissaient ma cuisine, asséchaient mon rhum et couvraient d'yeux en douleur ma bassine de requin. Ils étaient gentils avec moi, danne ! *Sidonise je vais venir réparer la tôle rouillée de ton toit... Sidonise pourquoi tu ne m'appelles jamais pour charroyer ta bouteille de gaz, elle va faire descendre ta matrice !...* et cætera. Enfin, l'heure est venue où l'odeur du requin dans la marinade fut la bonne. Le riz était cuit depuis une charge de temps, je l'avais rincé et mis à égoutter. Donc, Solibo commença le touffé. Bien entendu, pièce des nègres à gueule douce n'avait levé son pied. Tous s'attardaient avec des : *Mais Man Sidonise, donne-moi des nouvelles de un tel... Dites par conséquent Mââme Sidonise, votre filleul a-t-il la santé ?...* et cætera et cætera. Bondié (oh, Sidonise donne-la-nous), quand Solibo a fait sauter dans l'huile le piment jaune, l'oignon-france, le bouquet-pays, les gueules douces ont vibré ! Quand il a versé les cinq tomates, l'ail, qu'il a émietté le persil et semé le poivre-sel, les gueules douces sont devenues tout gris. Solibo feignait de ne pas voir leur gourmandise agouloue, et ralentissait ses gestes, peau des yeux en véranda. Moi-même, j'avais mis une figure de communion, mais dans mon cœur je riais comme un bossu sans miroir. Ces affamés-là auraient pu congestionner oui, quand Solibo fit suer en poêle les morceaux de requin, puis qu'il les versa dans le fait-tout d'épices dorées ! Imaginez (Oui, on imagine, Sidonise, on imagine !) le requin qui tombe dans l'huile chaude, qui se saisit et se parfume dans le roussi ! Oh la la la la, je m'étais mise moi-même à piéter comme les autres voraces, avec la même bave, les mêmes yeux en dérive. Solibo levait son petit doigt en prenant son petit temps : Vinaigre siouplaît, et trois clous de girofle merci beaucoup, un jus de citron ni trop jeune ni trop vieux siouplaît... J'obéissais comme à la haute-taille du bal des sages. Les voraces avaient fermé portes et fenêtres pour aveugler les autres viveurs apparus à l'horizon. Alors, hi, hi, hi, on était assemblés dans le noir autour du fait-tout, à comme dire une troupe de voleurs sur un portefeuille de béké. Les enfants sont revenus de l'école juste à temps, et on a mangé le requin, la sauce, les os, le riz, on a gratté le fait-tout et lustré les gamelles, et puis on a sucé en même temps la bouteille de vin socara et tout le reste de rhum. Les voraces sont partis avec des ventres de femmes enceintes, un marcher de canard. C'est là que Solibo m'a dit : *Maria Doudou, je ne t'avais pas oubliée, non...*

Sa voix est immergée par un sanglot mais le Magnifique flotte dans la poussière du car, avec des scintillements qu'il reprend au soleil. À mesure qu'il se dissipe, que Sidonise semble rentrer en elle-même, nous refluons vers la vitre grillagée, ramenés au malheur... Dehors, la foule s'est calmée. L'inspecteur principal, en cravate et bakoua, cristallise l'attention sur ses gestes de chasse en forêt invisible. Le silence est maintenant total. Les tremblements de Diab-Anba-Feuilles se sont apaisés. Bobé bave encore mais ne westernise plus. Le docteur Siromiel, les autres inspecteurs à matériels attendent groupés. Leurs yeux d'écoliers attentifs nous prouvent que chaque mouvement de Pilon autour de Solibo relève d'une science exacte.

Après quelques minutes de réflexion, l'inspecteur principal fit signe au docteur Siromiel. Ils approchèrent ensemble du cadavre de Solibo.

C'est toujours ce médecin que Pilon sollicite quand une découverte macabre est de son ressort. Il est trapu, rond, plus ralenti que la ville du Prêcheur quand le soleil est haut. Tandis que Bouaffesse ôtait les hardes de Congo, ils examinèrent silencieusement le corps. Bouaffesse roula les vêtements sous son aisselle et se tint en retrait. Évariste Pilon soupira et, se tournant vers lui, dit : Tu as touché au cadavre ?... Tu me prends pour un bleu ?! s'indigna Bouaffesse, tel que tu le vois là, il est comme sa misère l'a jeté !... Pilon, n'insistant pas, voulut connaître les faits, et Bouaffesse débita ce qu'il savait du nommé Solibo qui raconte des couillonnades, qui crie Patat' sa !, qui tombe bligidip ! sans que personne ne lève son corps pour aller voir, pendant le temps d'un siècle vu que le cadavre était raide quand je suis arrivé...

— Raide-raide, ou raide à peu près ?

— Si donc ?

— Raide seulement aux articulations des membres, ou raide totalement ? intervint Siromiel.

— C'est une question philosophique, ou quoi là ?

— Le corps était tiède, chaud, froid ? reprit Évariste Pilon.

Bouaffesse dit qu'il était glacé comme un sorbet vanille, que les témoins étaient treize dans le car, plus la tomate farcie qui se trouvait à l'hôpital, et que tous tremblaient comme des assassins, ce qui n'était pas étonnant vu que le cadavre n'avait pas l'air d'être mort de vieillesse avec toutes ses allocations, enfin que la mathématique disait : assassiné sans bobo égale cadavre empoisonné... Mais l'inspecteur, ni le médecin, n'écoutaient plus ces fulgurances : accroupis, ils scrutaient Solibo. Le brigadier-chef s'éloigna, dégoûté.

Pilon et Siromiel se parlaient à mi-voix.

— Ils ont dû lui porter secours : la ceinture est détachée...

— Pas de blessures ?

— Pas de sang, en tout cas...

— Alors à vue de nez ?

— À vue de nez, quoi ?

— Cause de la mort ?

— Asphyxie.

— Sûr ?

— Probable : lèvres cyanosées. Regardez la couleur des ongles.

Ils se rapprochèrent encore du cadavre. Pilon veillait à ne pas le toucher. Siromiel, par contre, tentait d'en remuer les membres, palpait l'abdomen et les joues, et débitait ses constatations : odeur cadavérique nettement perceptible — rigidité très marquée — aucune ecchymose — pupilles rondes — pas d'hémorragie sous-cutanée — la mort remonte à plus de quatre heures...

— Certitude ?

— Certitude.

Siromiel poursuivit son examen en silence, palpant le crâne, explorant la bouche ouverte, tâtant le cou, l'aine, glissant la main sous le corps pour explorer le dos. Quelques minutes après, il se relevait plus sombre qu'une araignée à l'approche d'une pluie : Cet homme me semble en parfaite santé...

— Il est mort bien-portant ? ironisa Pilon.

— Juste. La mort est accidentelle.

— Mais encore ?

— Je confirme l'asphyxie.

— Qui viendrait d'où ?

— Une autopsie le dirait... Il y a un mucus sanguinolent dans la bouche...

— Donc ?

— Mort suspecte.

Ce fut comme si le docteur Siromiel avait prononcé un sésame. Pilon se redressa, et son cœur prit le rythme des grandes chasses : Écartez-vous quelques instants, docteur...

Obéissant à un signe de Pilon, un inspecteur s'avance et commence à photographier. Là même, bien que l'appareil ne soit nullement pointé sur eux, quelques zouaves de la foule s'enfuient, d'autres se détournent, nous-mêmes, dans le car, quittons l'angle de la vitre : les photos de la police n'ont jamais nourri de souvenirs heureux. Mais le terrifiant photographe ne s'occupe que du cadavre et des débris qui l'environnent. Mené par les signes cabalistiques de Pilon, il photographie d'abord les lieux dans leur ensemble, puis le sang de Doudou-Ménar, le tambour de Sucette, notre dame-jeanne, les tamarins écrasés, les caisses et les roches qui nous servaient de tabourets, il photographie ceci, il photographie cela, une petite bouteille, un caca de chauve-souris, Solibo par en haut, Solibo par en bas, Solibo sur les côtés, clic et clic, il photographie l'et cætera, l'Amen et le Je vous salue Marie, et quand il a fini de photographier, eh bien mes amis, preuve qu'il ne paye pas la pellicule, il photographie encore. Pendant ce temps, Pilon a libéré ses autres inspecteurs. Ils vont et viennent avec des mètres et des centimètres. À quatre pattes, ils manient des pinceaux et des poudres étranges, ils transfèrent certaines empreintes sur du papier spécial, ils opèrent des moulages de plâtre, tracent des petits dessins, trient les poussières, soulèvent des cochonneries avec des pincettes et les glissent en sachets étiquetés. Pilon lui-même est dans le bal : il noircit les doigts de Solibo, les applique sur du papier, et lui vide les poches. La dame-jeanne et le tambour sont emballés comme des trésors de Madone, scellés, puis transportés dans la 403. Maintenant, ils protègent certains endroits d'un papier ciré. Tout cela semble tellement diabolique que, doigts croisés, nous murmurons le *Notre Père* : à l'époque des fatalités, la prière d'un nègre n'est jamais inutile...

Vers la fin des manœuvres de l'Identité judiciaire, Pilon rejoignit le brigadier-chef en train d'effrayer la foule du regard, Siromiel dit qu'il s'agit d'une mort suspecte... Bouaffesse ricana qu'on n'avait nul besoin d'être grand grec mapipi pour comprendre cela, c'est une empoisonnade, je t'ai dit...

— Siromiel n'a pas conclu cela...

— Il n'a pas l'œil... Il est déjà en fatigue...

— Montre-moi les témoins...

C'est alors qu'un rugissement stoppa le monde, que Doudou-Ménar sanguinolente jaillit de la foule en hurlant : Diab-Anba-Fey an ké défolmanté'w, Diable je vais te tuer !

La Bouf-bouf s'abattit sur Diab-Anba-Feuilles comme une chaleur de carême sur les tôles du marché. Avant la moindre parade, elle lui infligea une rafale de calottes et vingt-deux coups de tête. La foule éclata avec des cris de merles, piétinant Jambette et Bobé qui s'élançaient à la rescousse. Doudou-Ménar massacrait sa proie avec la rage d'un gendarme à cheval dans une grève agricole. Pilon et quelques autres tentaient vainement de remonter la foule en dérive. À coups de boutou méchants, Bouaffesse se fraya une trace irrésistible. Parvenant à la Sauvage, il lui fracassa le pansement sanglant qui lui coiffait la tête. La Redoutable rugit, délaissa les ruines de Diab-Anba-Feuilles et chargea énergiquement le foie déjà sensible du brigadier-chef qui hurla un solo d'agonie, mais parvint à bloquer l'Enragée entre les damnations de ses mains. Doudou-Ménar sentit la dissipation de ses chaleurs vitales. Un froid soudain la figea sous les boutous de Jambette et Bobé rescapés de la foule. Treize catégories de méchancetés s'abattirent sur la malheureuse avant que Pilon et quelques autres inspecteurs ne pussent intervenir. Quand Jambette et Bobé furent maîtrisés, que l'on parvint à desserrer la diabolique empoignade de Bouaffesse, Doudou-Ménar s'affaissa irrémédiablement sur les soubresauts épileptiques de Diab-Anba-Feuilles —— et la foule redoubla d'affolement.

(Solibo Magnifique me disait : « Oh, Oiseau, tu veux l'Indépendance, mais tu en portes l'idée comme on porte des menottes. D'abord : sois libre face à l'idée. Ensuite : dresse le compte de ce qui dans ta tête et dans ton ventre t'enchaîne. C'est d'abord là, ton combat... »)

Le brigadier-chef a repris la situation en main : il a calmé la foule avec deux brèves hélades, posté Jambette et Bobé afin de la contenir, et demandé du renfort par radio. Une nouvelle ambulance de pompiers est arrivée. Informés des mésaventures de leurs collègues, les pompiers restent à l'abri, s'inquiétant par signes des raisons de l'appel. Le brigadier-chef leur exhibe ses chicots, ce qui veut peut-être dire : ne bougez pas !... Là même derrière, trois cars de police déversent dans l'allée une multitude bleutée. Pris de fureur anticipée, les nouveaux policiers chargent la foule ouverte, maîtrisant à tout hasard quelques bougres au regard fuyant. Bouaffesse les apaise d'une main : Pas de chaleur souplé !... où sont les barrières que j'ai demandées ?... Sans un mot, la troupe retourne aux cars et ramène des barrières mobiles qu'elle dispose en cercle autour du tamarinier. Jambette et Bobé semblent déguisés parmi les uniformes impeccables des nouveaux policiers qui roulent des yeux ahuris sur le corps inanimé de Diab-Anba-Feuilles. Bouaffesse les poste le long de la barrière en une file impressionnante. La foule réafflue doucement, trois fois plus nombreuse. Cette fois, l'importance des forces de l'ordre l'incite au silence d'église. Ramassant matériels et sachets, les inspecteurs de l'Identité judiciaire s'en vont à pleins gaz. Le brigadier-chef éponge nerveusement son visage brillant : Quoi, quoi, quoi, quoi, lance-t-il à Pilon et au docteur Siromiel accroupis auprès de Doudou-Ménar, mon homme est par terre là, étourdi à comme dire une négresse enceinte sous une chaleur, et vous vous occupez de la madame qui nous a agressés avec des coups et blessures volontaires en préméditation caractérisée sans circonstances atténuantes ?! Vous êtes racistes ou quoi là ?!... L'inspecteur principal a l'air ennuyé. Siromiel, penché sur Doudou-Ménar, lui masse vigoureusement le cœur : Les pompiers, vite ! halète-t-il. Bouaffesse feint de ne pas entendre et s'agenouille ostensiblement auprès de Diab-Anba-Feuilles. Évariste Pilon se redresse et fait de grands signes aux pompiers qui lui répondent avec des tortillements de doigts inquiets. Ils n'ont visiblement aucune envie de s'aventurer dans cette mangrove policière. L'inspecteur principal s'élance avec une détermination telle qu'ils jaillissent de leur ambulance : Ho ho holà on n'a rien fait, on n'est pas dedans... *Vite! arrêt cardiaque,* crache Pilon. Flap! émotions oubliées, les pompiers saisissent leurs bidons d'oxygène, leurs tuyaux, leur mallette croitée, leur brancard et se précipitent.

Une nervosité s'accumulait maintenant au-dessus de la Grosse : Siromiel lui testait les pupilles avec une lampe de poche, traquait une palpitation au cou, à l'aine, aux poignets, un pompier l'oxygénait, un autre lui massait le cœur avec une énergie qui briserait du marbre. Chacun agissait en hâte anxieuse et précision. Leur tournant le dos, le brigadier-chef accueillait en grande pompe Diab-Anba-Feuilles qui titubant se relevait. Bientôt, le docteur Siromiel s'essuya les mains dans son mouchoir, puis, négligeant les yeux interrogatifs de Pilon, quitta le corps de Doudou-Ménar pour le cadavre de Solibo. Vous cherchez quoi ? lui dit Pilon l'y rejoignant. Cette mort intriguait le docteur, une impression désagréable. L'empoisonnement était possible, mais il n'y avait pas de bave buccale, pas de dilatation des pupilles, pas même d'altération significative du teint. La cyanose, elle, pouvait s'expliquer par un œdème du poumon découlant d'une ingestion de barbituriques par exemple, mais cette hypothèse, comme toutes les autres, demandait une autopsie de confirmation. Pilon lui suggérant des hémorragies internes provoquées par un éventuel avalement de bambou pilé, le docteur protesta qu'il n'y avait pas ici de pâleur caractéristique. Il existe aussi le lait du mancenillier, poursuivit Pilon tout à sa revue des poisons du pays.

— Cette sève irrite les lèvres, dit le docteur, or les siennes sont nettes... Ces fourmis sont étranges... Et même : je ne crois pas à un empoisonnement...

— Aucune certitude alors ?

— Si. La femme, la Grosse...

— Oui ?

— Elle est morte.

ANDJET SA ! s'écrie Bouaffesse en bousculant les pompiers apeurés. Incrédule, il soulève le drap ouvert sur la dépouille de Doudou-Ménar : Z'avez bien regardé si c'est pas un étourdissement vicieux ? C'est peut-être un genre de cinéma qu'elle fait là... Il empoigne la malheureuse aux aisselles, la redresse, lui tapote les joues : Lolita, Lolita, c'est Philémon... Son visage ruisselle, des auréoles soudaines foncent sous les bras le bleu de sa chemise. Les pompiers, à l'abri de leurs bidons à oxygène, guettent ses efforts. Jambette et Bobé se sont rapprochés, prêts. Yeux déménagés, Diab-Anba-Feuilles reste à l'écart. Pilon relève Bouaffesse et lui dit : Que les pompiers la transportent à la morgue de l'hôpital, et dépêche quelqu'un à son domicile afin de prévenir la famille. Dis aussi aux pompiers de ramasser ce..., au fait, qui est cet homme ? il n'a aucun papier sur lui... Solibo Magnifique ? Personne ne sait son vrai nom ? Les témoins non plus ? Bon, qu'ils l'emportent au docteur Lélonette, j'obtiendrai une autopsie du procureur... Ensuite, nous verrons les témoins... Cette femme en faisait partie, non ?

— Oui. Lolita Boidevan, dite Doudou-Ménar.

— Pourquoi cette furieuse agression contre ton agent ? Il y a un rapport avec l'affaire...

— Aucun modèle de rapport ! Cette folle était folle au mitan de la tête !...

Les pompiers embarquèrent le corps de Doudou-Ménar, puis ils s'occupèrent de Solibo Magnifique. À sa radio, l'inspecteur principal conversait. Siromiel, lui, yeux clos, probablement pris de sommeil, s'était installé à l'arrière de la 4L. La majorité des policiers avait regagné les cars, quelques scrupuleux tentaient encore de disperser la foule. Diab-Anba-Feuilles, Jambette et Bobé, réfugiés dans leur véhicule, guettaient le signe du démarrage, mais Bouaffesse s'attardait à l'affût des pompiers en butte à quelque difficulté. Enjambant le corps du Magnifique, ils l'avaient empoigné, mais, malgré leurs Han ! hoo hisse !, ils ne le soulevaient pas : Solibo s'était mis à peser une tonne, comme ces cadavres de nègres qui jalousaient la vie. Veut pas partir, chef, chevrotaient-ils, l'est plus lourd que l'usine de Robert, si on le soulève on perd nos graines...

D'un bref coup de sifflet, Bouaffesse fit venir en renfort Jambette, Diab-Anba-Feuilles et Bobé. Mais Solibo pesa une tonne et demie. Il appela les deux gardiens de la barrière. Mais Solibo pesa deux tonnes. Il rameuta un des cars : les policiers s'entassèrent au-dessus du cadavre, se battant pour une prise. Mais Solibo pesa cinq tonnes. Les hommes de loi commençaient à triturer leurs croix bénites, leurs quimbois familiers dissimulés sous la chemise. Le brigadier-chef lui-même restait muet. Tous savaient que les morts pouvaient se mettre à peser, ils avaient vu patiner des corbillards au bord des cimetières, mais aucun n'avait encore confronté ses muscles au phénomène. Diab-Anba-Feuilles qui se disait né coiffé de son placenta (donc inaccessible aux diableries) donna les directives : Les pieds d'abord, tirez en zigzags, bon, récitez le *Notre Père* et tirez vers la gauche, bon, heu, qui n'a pas été baptisé ? Ceux qui n'ont pas été baptisés reculent à treize mètres et croisent leurs doigts. Un, deux, trois : saint Michel !... Bon, hum, on va imaginer que c'est une igname. Prêt ? allez... Bon, qui a de l'eau bénite ?... L'arrivée de l'inspecteur principal interrompit leur ahan, et, estébékoué, s'associant aux efforts vains jusqu'à l'épuisement, Évariste Pilon redécouvrit (in situ) un des mystères de par ici.

> (Sans vouloir vous ennuyer, juste un mot : le travail des morts s'est perdu. On les transporte comme des

sacs de guano dans des cercueils capitonnés prévus pour les pays d'hiver. Or, il faut dénouer respectueusement les fils qu'ils gardent sur la vie. Sans pleurer la tradition, rappelons-nous : quatre épaules, une heure de soleil levant, une démarche dans la descente, un rythme dans la montée, une balance de reins au-dessus des ravines, une tracée qui tourne et détourne, qui recule parfois dans un paysage réinventé. À travers le drap, le mort percevait la douleur des amis, il sentait battre leur cœur, et il buvait leur sueur.)

La foule virait, venait. Les curieux se penchaient à la barrière, attentifs aux inquiétudes policières déployées autour du corps : Quoi, sakini, ils z'arrivent pas à le soulever ?... Le brigadier-chef se grattait les fesses. Pilon regardait Solibo avec des yeux d'insomniaque en face d'un cheval à trois pattes. Diab-Anba-Feuilles et quelques obstinés s'escrimaient encore au-dessus du cadavre, les autres, pompiers compris, se tenaient à bonne distance, dans des postures utiles aux replis stratégiques. Émergeant d'un sommeil, yeux en papillons, le docteur Siromiel vint rappeler l'existence de son cabinet, de ses nombreux patients, du retard qu'il prenait. Trente années d'exercice dans nos féeries mortuaires avaient anesthésié ses centres d'émotion, si bien que, Pilon lui confiant l'impossibilité de déplacer le corps, le vieux myste trancha flap : Hé ! faites venir une grue !... Les policiers, pleins d'un respectueux étonnement, le regardèrent s'installer en chien de fusil dans la 4L et prendre sommeil tranquille. Tandis que le brigadier-chef se traînait vers la radio du car, Évariste Pilon qui le suivait surprit nos yeux lunaires sous un reflet de la vitre grillagée. Il prit le temps d'écouter ce que bégayait Bouaffesse dans la radio (Oui... la grue... y'a un machin à soulever là... pourquoi tu me poses tout ça de questions ? ton nom c'est quoi ?... moi, c'est le Chef, envoie la grue de la fourrière, é fouté mwen lapé !... oui, sur la Savane...) puis ouvrit la porte arrière. C'est là que l'inspecteur nous vit et que nous le vîmes de près pour la première fois.

Pilon avait à peine fait bâiller la portière que Sidonise et Conchita s'élançaient. Elles guettaient la poignée depuis une charge de temps. Pilon en eut un saut de cœur. Elles auraient pu s'enfuir à l'aise si Bouaffesse n'avait surgi, empoignant les cheveux de Conchita, agriffant Sidonise par la peau des hanches : Où c'est que vous allez comme ça, dites donc les femmes, hein ?... Sidonise grimaçait : la main maudite lui givrait la peau à travers le coton de la gaule, et Conchita s'agenouillait sous la menace d'une brisure de son cou. Hein, où c'est que vous allez comme ça ?... Bouaffesse était piment, ses yeux rougeoyaient comme du meilleur charbon, les gémissements des deux femmes lui arrosaient de bien profondes sécheresses. Pilon s'interposa, et le brigadier-chef, les lâchant à regret, hurla un *Remontez !* qui nous les réexpédia, indemnes mais bouleversées de ce contact avec les mains mortuaires. Ti-Cal et Zaboca les aidèrent à s'asseoir. *C'est une tentative d'évasion caractérisée !* tonnait Bouaffesse en direction de Pilon, je t'avais bien dit que ces gens-là n'étaient pas nets !... L'inspecteur principal nous dévisageait, s'attardait sur nos mains, nos vêtements, nos chaussures. Il cherchait aussi à rencontrer nos yeux, mais c'était difficile. Mesdames et messieurs, prononça-t-il finalement, je suis officier de police judiciaire. Voici le brigadier-chef Philémon Bouaffesse. En vertu des articles 76, 77 et 78 du code de procédure pénale, vous devez vous considérer en garde à vue pour les nécessités d'une enquête préliminaire. Vous n'avez aucune inquiétude à avoir. Il s'agira simplement de procéder à des constatations de routine... Il attendit vainement quelque réaction, nous étions entassés au plus loin des portières, épouvantés par la présence de Ti-Coca. Pilon, percevant de forts effluves, s'en inquiéta auprès de Bouaffesse qui se délecta d'expliquer comment nous avions tété la dame-jeanne de rhum tandis que Solibo mourait. Ah, elle contenait de l'alcool ! réagit Pilon, ordonnant alors qu'il réveille Siromiel pour la procédure visée aux articles L 88, R 14 et suivants du code des débits de boissons et des mesures contre l'alcoolisme...

Doux jésus ! siffla Bouaffesse, bien plus émerveillé que nous ——— beaucoup.

Flanqué de policiers, chaque témoin fut conduit à la 4L où le docteur Siromiel lui examinait les pupilles, lui reniflait l'haleine, lui demandait d'ouvrir les bras et de sautiller sur un pied. Ce qui, mis à part Sidonise et Conchita, les précipitait invariablement au sol. A, zot sousé'y neg, vous l'avez savourée ! s'exclamait alors Bouaffesse. Les nouveaux policiers partis, seuls les deux gardiens contenaient aux barrières la déambulation d'une foule d'ailleurs éparse. Les chutes des témoins déclenchaient encore quelques quolibets : *Wacha !, Isalé !...,* mais l'ambiance de kermesse s'était épuisée. Diab-Anba-Feuilles gardait les portières, Jambette et Bobé escortaient le trajet des témoins, leur prise de sang, leur audition par l'inspecteur principal assis dans la voiture, un bloc-notes sur les genoux. Le brigadier-chef, entouré des pompiers qui goûtaient ses plaisanteries, se tenait à la portière, méchant et rigolard.

— Nom, prénom, surnom, âge, profession, domicile ?

— Hein ?

— Dis comment on t'appelle, explique Bouaffesse.

— Bête-Longue.

— C'est votre surnom ? Bien. Nom et prénom maintenant.

— Hein ?

— Quelle manière de te crier ta manman a donné à la mairie, traduit Bouaffesse.

— An pa save...

— Il dit qu'il ne sait pas, inspesteur...

— Merci, Brigadier, mais je comprends le créole.

— Je dis ça pour te rendre service ! Tu es un inspesteur, tu dois pas fouiller dans ce patois de vagabonds...

— C'est une langue, Brigadier.

— Tu as vu ça où ?

— ...

— Et si c'est une langue, pourquoi ta bouche roule toujours un petit français huilé ? Et pourquoi tu n'écris pas ton procès-verbal avec ?

— La question n'est pas là, coupe Évariste Pilon. Il faudra faire rechercher l'état civil de cet homme. Monsieur Bête-Longue, quels sont vos âge, profession et domicile ?

— Hein ?

— L'inspesteur te demande depuis quel cyclone tu es né, qu'est-ce que tu fais pour le béké, et dans quel côté tu dors la nuit ? précise Bouaffesse.

— Je suis né juste avant l'Amiral Robert, je pêche avec Kokomerlo à Rive-Droite, et je reste à Texaco, près de la fontaine...

— Racontez-nous ce qui s'est passé.

— Hein ?

— Qu'est-ce qui est arrivé à Solibo ? transmet Bouaffesse.

— Pawol la bay an gôjèt, la parole l'a égorgé...

À chaque ouverture des portières, une marée de soleil nous submergeait. L'un d'entre nous devait alors se lever, caboter de paroi en paroi jusqu'à l'abîme d'une marche où Diab-Anba-Feuilles savourait ses manœuvres alifères pour éviter la chute. Celui qui revenait, foulé par la portière et une chape de pénombre, subissait une réception fouinarde : des mains le purgeaient, jalouses de savoir qu'il en avait fini, anxieuses de sa mésaventure : Qu'est-ce qu'on t'a fait ? Ti-Coca t'a touché ?... Nos questions n'appelaient pas de réponse, et le revenant les écoutait affalé dans un coin, en muette béatitude. Refluant alors vers la vitre grillagée dont le sale épongeait les crues de la lumière, nous suivions des yeux celui qu'on emmenait, nous suivions ses acrobaties devant Siromiel, son garde-à-vous devant Pilon, sa douleur de ne pas être libéré et de devoir nous rejoindre. Puis, juste avant la durée lumineuse des portières, nous jetions vers Solibo Magnifique, naufragé dans la houle des racines, le regard de toutes les amertumes et du solde des tristesses.

Toutes les dépositions furent les mêmes : Solibo Magnifique qui parle, parle, parle, qui s'écroule en criant *Patat' sa' !*, la compagnie qui patiente, qui suce la dame-jeanne en écoutant le tambour de Sucette, puis Congo qui se lève, et cætera...

— *Vous êtes restés combien de temps à écouter ce solo ?*

Toutes les dépositions furent les mêmes : Le temps c'est quoi, monsieur l'inspectère ?... Évariste Pilon demeurait insensible à cette question. Pour lui, le temps consistait en secondes, en minutes et en heures, il agitait sa montre, en indiquant les aiguilles aux témoins, exigeant une réponse même approximative. Chamzibié, marqueur de paroles, lui renvoya des questions insensées : Comment savoir le temps qui passe, monsieur l'inspectère ? Le temps c'est des graines de riz ? C'est un rouleau de toile qu'on peut mesurer au mètre à la mode des Syriens ? Où c'est qu'il passe quand il passe : par-devant ou par-derrière ? Solibo avait glissé dans les racines, alors nous on attendait, comme dans ce pays, partout, on attend. Qu'est-ce que hier, qu'est-ce que demain, quand on attend ?... Il dit aussi que les philosophes avaient déjà tranché cette question. ——— Ti-Cal se réfugia en politique abstruse : Quel temps ? mais quel temps ? Sans Autonomie ou sans Indépendance, il n'y a que tempête ou temps mort... ——— Aux marchés, dirent Pipi et Didon, le djob ne rythmait plus la vie, les brouettes ne grinçaient plus, alors qu'est-ce que le temps ? ——— Y'a plus d'endroit pour sonner le tambour, pleura Sucette, sa voix ne hèle plus la nuit ni le jour, et moi-même pardessus je suis encore plus muet, alors c'est quoi le temps ? ——— Pour la musique, *il n'y a pas,* dit simplement Charlot qui, hors de son orchestre disparu, n'avait pas plus de conscience qu'un papillon de nuit égaré au midi. ——— Richard Cœurillon et Zaboca parlèrent d'un temps de récoltes et d'usines qui fumaient, en ce temps l'un maniait une machine, l'autre serrait un coutelas, c'était un temps, mais aujourd'hui si les champs sont déserts, que les sifflets d'usines ne rythment plus la journée, que tes mains ne savent plus rien amarrer, tresser, clouer, découper, où passe le temps d'ici, inspectère ? On dit qu'il est en France, que là il y a du temps. ——— Congo créolisa d'un temps de manioc, du temps où l'on en mangeait par-ici, il voyait bien pousser la plante et comptait ses saisons, mais aujourd'hui il ne savait du temps que l'élan des avions aux abords de sa case, en ciel d'aéroport. ——— Quant à pour Sidonise, il fut un temps où sa sorbetière lui donnait le temps, le temps de parfumer le laitage au coco, le temps de tourner la manivelle dans la glace et le sel, mais là, à ce jour, le sorbet se faisait à l'ailleurs, elle l'achetait dans des boîtes en plastique et le présentait dans sa sorbetière pour le genre, depuis elle glissait sur les heures et le reste. ——— Bête-Longue ne comprit rien à la question, il ne savait même pas son nom, ni le lieu de sa naissance, et rien non plus du combien d'années se composait un jour. ——— Conchita, elle, n'existait plus au soleil mais dans la nuit, avec pour seuls repères des fuites d'ombres sur une lune changeante. ———

Zozor Alcide-Victor, enfin, n'avait jamais été en station suffisante dans son magasin placé sous gérance pour apprendre à évaluer le temps, et vous m'en voyez désolé, inspecteur... À mesure que l'inspecteur principal, refusant cette logique, envisageait à son tour une possible conspiration, le brigadier-chef se montrait, lui, plus réceptif : Z'ont peut-être pas tort. Quand j'étais au chômage après l'Algérie, et qu'au hasard je me trouvais branché sur un tambour gros-ka, dix mille ans pouvaient défiler et on pouvait même me couper les graines sans que je ne bouge, oui ! En plus, si y'a une dame-jeanne de tafia qui circule...

— Je t'en prie, Brigadier, ne mélangeons pas tout !...

— *Le conteur cesse brusquement de parler, et ce silence inattendu ne vous inquiète pas ?*

Toutes les dépositions furent les mêmes : un silence est une parole. On attendait à l'aise même, car de la parole tu bâtis le village mais du silence ho ! c'est le monde que tu construis. En plus, il y a autant de silences dans la parole, que de paroles dans le silence. Qui a peur du silence par ici ? Le silence sonne et résonne, et signifie autant que la voix. C'est une question d'oreille, inspectère, la parole du conteur, c'est le son de sa gorge, mais c'est aussi sa sueur, les roulades de ses yeux, son ventre, les dessins de ses mains, son odeur, celle de la compagnie, le son du ka et tous les silences. Il faut y ajouter la nuit autour, la pluie s'il pleut, les vibrations silencieuses du monde. Qui a peur du silence par-ici ? Personne n'a peur du silence, surtout pas d'un silence de Solibo... ——— Incroyable ! s'excitait Pilon entre chaque témoin, tout cela n'a pas de sens ! Cette apologie du silence tombe à point pour arranger tout le monde ! Ils se sont entendus sur les réponses, Brigadier, nous avons levé un assassinat collectif...

— Monsieur Bête-Longue...

— Hein ?

— Que s'est-il passé quand monsieur Congo a constaté que Solibo était mort ?

— On l'a frictionné tout-suite pour chauffer son sang...

— C'est à ce moment-là que vous lui avez ôté ses chaussures, ouvert sa chemise, dégrafé sa ceinture...

— Hein ?

— Il demande si vous avez chiffonné son linge ? complète Bouaffesse.

— On l'a frictionné, danne !

— Il dit : oui.

— J'avais compris, Brigadier... Combien de temps s'est écoulé entre vos interventions et le moment où madame Boidevan s'en est allée quérir un médecin ?

— Hein ?

— Brigadier, explique-lui la question...

— L'inspecteur te demande si vous avez

donné beaucoup de paroles inutiles avant que Doudou-Ménar ne descende me chercher...

— Yonn dé...

— Il dit : pas longtemps...

— Une minute, deux minutes, une heure ?

— Hein ?

— Alors là, inspecteur, traduis toi-même, se décourage Bouaffesse face à ces délicates notions.

Cette première audition des témoins achevée, il fallut reconduire le docteur Siromiel à son cabinet. Évariste Pilon désigna Bobé. Très fier, ce dernier écouta avec un sérieux de pape les explications portant sur les échantillons de sang et les fiches d'examens médicaux à transmettre aux différents experts. Après, lui précisa Bouaffesse, tu vas garer la 4L du béké à l'Hôtel et puis tu rentres à case... C'est donc ici que Bobé quitta l'affaire Solibo, depuis il va très bien merci.

Les témoins avaient de nouveau été bouclés dans le car. Agrippés au transistor de l'ambulance, les pompiers pariaient à mi-voix sur les classements du hit-parade : l'angoisse que *Shleu-Shleu* n'y supplante *Perfecta* se traduisait en aspirations nerveuses sur des mégots éteints. Diab-Anba-Feuilles s'était endormi, debout, contre une portière du car. Il ne ronflait pas, mais sa bouche bée brassait un souffle puissant. Jambette, accoudé au volant, s'extrayait des vers bleus en louchant vers le rétroviseur. Les

30 degrés habituels étaient là, nés d'un soleil vertical qui gommait presque les ombres. L'alizé diffusait les gaz de Solibo, éboutant la curiosité de quelques irréductibles. Seul un reste de ces nègres oubliés par la vie questionnait encore à la barrière : Saki tué'y, qui l'a tué ?... Le brigadier-chef avait rejoint l'inspecteur principal, abrité sous un tamarinier, en dehors du périmètre séquestré de Solibo. Si la grue n'arrive pas là même, soupire Bouaffesse, le cadavre sera pourri avant l'heure, et les fourmis l'auront mangé... Elles sont curieuses, non, ces fourmis-folles ? interrogea Pilon. Veston fripé au creux du coude, il avait desserré sa cravate et utilisait son chapeau comme éventail, laissant nu son crâne à moitié chauve. Bouaffesse attirait les mouches, elles tournoyaient leurs danses à hauteur de ses yeux. Il prit le temps d'en stopper une sur sa moustache, de lui compter les pattes, avant d'expliquer doctement qu'il s'agissait de fourmis-manioc et pas de fourmis-folles, qu'il y avait quatre espèces de fourmis, la mordante, la noire, la folle et la manioc, que dans l'espèce manioc, il fallait distinguer les petits-petits charroyeurs de feuilles au long des saintes journées, les rouge-brique qui naviguaient sous terre, et les à-z'ailes, messagères d'hivernage. Toutes se trouvaient rassemblées sur Solibo, précisa-t-il. Il s'était à peine tu que l'étrangeté de la démonstration se dévoila d'un coup : *Bondié ! la fourmi-manioc ne se trouve qu'en Guadeloupe !...* Fou même, il s'élança par-dessus la barrière en direction de

Solibo, drainant dans son sillage les gardiens qui (à tout hasard et sans trop comprendre) empoignèrent leur boutou. A-a ! Sé fonmi manyok kila wi, il s'agit bien de fourmis-manioc ! hurla-t-il à l'intention d'un Pilon effaré. Voulant se faire confirmer ce mystère, il sollicita la réflexion somnambulique de Diab-Anba-Feuilles qui grommela : Si comme tel on était en Guadeloupe, je t'aurais dit des fourmis-manioc, chef...

— Ici on est en Martinique, alors tu dis quoi ?

Diab-Anba-Feuilles enleva un calot embarrassé afin de mieux examiner l'étonnante multitude qui fouinait le corps du Magnifique, lui insufflant une vie formicante. Toute l'énergie de Solibo semblait avoir gagné son épiderme, pris de fièvre obsidionale. Les fourmis ne se nourrissaient pas, elles arpentaient simplement des lignes de force rageuses autour des yeux, le long du cou, à l'entour du cœur et au point du bas-ventre, en une obscure chorégraphie d'hommage. Jambette vint aussi augmenter d'une muette surprise le silence incrédule où demeurait échoué le petit groupe, mais, traqué par Bouaffesse impatient : Alors tu vois quoi là ?..., il murmura en toute prudence : On dirait heu des fourmis déguisées en fourmis-manioc, chef...

Ruisselant malgré l'ombre du tamarin et les zéphyrs de son bakoua, Pilon se refusait à ce nouveau mystère. De l'excitation de Bouaffesse *(Fourmis-manioc en Martinique !)* qui suggérait une alarme à la science entomologiste du Père

Pinchon et une rafale de dispositions variées, Pilon divergea en une longue théorie sur ce crime que maintenant il jugeait indéniable. Le nommé Solibo s'étant effondré après un cri de douleur, interrompant de manière nécessairement illogique son propos, il était anormal que l'assistance n'ait manifesté aucune surprise, ce qui autorisait l'hypothèse selon laquelle les écoutants *savaient* que l'homme allait mourir et qu'*ils étaient venus assister au spectacle.* Cela permettait aussi d'envisager que tous, à des degrés divers, nourrissaient de bonnes raisons d'en vouloir à cet homme. Ces raisons devraient être débusquées au cours d'une garde à vue plénière. Il ajouta : Il nous faudra traquer le joueur de tambour, le surnommé Sucette, seul à s'être trouvé suffisamment près de la victime pour se rendre compte (s'il avait été de bonne foi) que cette dernière agonisait : sa déposition lui sera difficile à tenir... Soucieux de ne pas être en reste de fulgurances, Bouaffesse embraya à son tour qu'il faudrait, de même, purger les graines au seul à s'être levé, sans doute l'expert de la bande, qui savait probablement à quelle heure pile Solibo serait mort vu qu'il avait fourni le poison ainsi que pouvait le laisser conclure, en toute certitude, son aspect de sorcier et son surnom négreux, Congo... Voici le treuil, dit Évariste Pilon, revenu depuis à des pensers plus sobres.

Le camion-treuil de la fourrière descendit l'allée et vint se ranger devant le monument aux morts. Le chauffeur, un albinos à lunettes noires et gros cigare, attendit la fin du hit-parade avant de s'intéresser aux signes de Bouaffesse. Quand ce dernier lui ordonna sèchement de manœuvrer son camion sous le tamarinier, l'albinos protesta de l'abolition de l'esclavage, qu'il n'était donc là que par gentillesse pisque le chef à la fourrière c'est pas toi ... *Nom et matricule!* rugit le brigadier-chef en sortant son carnet, et sa voix diffusa un vibrage si cruel que l'albinos rougit sous une sueur naissante ——— peut même plus rigoler ——— qui descella les lunettes de son nez plat. Les pompiers déployèrent à nouveau leur brancard tandis que l'albinos plaçait la potence et le crochet balançant, au-dessus de Solibo. L'inspecteur principal se tenait en plein soleil comme un touriste. L'albinos, voyant Jambette et Diab-Anba-Feuilles encorder le cadavre, s'indigna : Quoi ?! c'est pour ça que vous m'avez crié ?!... Rires gênés : chacun scrutait l'ailleurs afin que tout autre se sente libre d'expliquer. *Un treuil pour un cadavre!* insistait l'albinos, *c'est une la-fête ou quoi ?...* Le brigadier-chef, s'en rapprochant avec un vieux sourire, paria cent francs qu'il ne parviendrait pas, malgré ton gros boudin, à le soulever d'un demi-quart de poil, si bien que l'albinos, ravi de l'aubaine, se hâta vers le corps, prit une minute à en chasser les fourmis, se noua les cordes autour d'une main et, sans plus de manières, transporta au brancard un cadavre plus léger qu'une cendre de cannes

(Bouaffesse rugit : Andjèt sa !... ——— normal).

De plus, niant l'évidence, le brigadier-chef s'empara des cordes du macchabée, qui vint si facilement que le policier faillit en basculer. Il retira précautionneusement une main, écarta le pouce, déplia l'index, puis, à la stupéfaction générale, il soutint Solibo du bout du petit doigt. Enfin, il se lança dans de lentes manipulations dont le macabre fascinait tout le monde. Par de simples tortillements du poignet, Bouaffesse se passait le cadavre de l'auriculaire au pouce, du pouce à l'index, de l'index au médium, envoûté lui-même par le flottement de Solibo entre ses liens qui restaient mols. Diab-Anba-Feuilles voulut essayer, puis Jambette, les pompiers, de petit doigt en petit doigt cet amusement déclenchait un tel désordre nerveux (rires aigus, tressaillements) que le chauffeur de la fourrière s'enfuit en pleine indifférence. L'inspecteur principal échappait au délire, mais son état n'avait rien d'enviable : imbibé d'une sueur malsaine, il ressemblait aux vieux nègres qui déclaraient chaque jour, à l'hôtel de police, d'impossibles rencontres avec les diables et les zombis.

Malgré le grillage, les saletés de la vitre et la pénombre où nos respirations s'amplifient sur un air qui s'épuise, nous les voyons se jouer du Magnifique. Sidonise, Sucette, Ti-Cal et quelques autres pleurent sur cela, les autres couvent des douleurs muettes. Il est clair que nous ne sommes plus du bon côté de la vie. En mourant, Solibo nous a plongés là où il n'y a plus de parole qui vaille, plus de sens à rien. Le soleil et les tamariniers sont là, une chaleur donne, autour de la Savane immobile la vie s'est réfugiée dans les pénombres climatisées. Tout est là, familier, mais l'existence est nulle : *Où sommes-nous, Seigneur ? Où sommes-nous ?...* La question de la Fièvre s'éternise dans le car, et nous le regardons : d'ordinaire, il est muet. C'est un homme indistinct, à l'interstice de quatorze métissages dont il a évité les caractéristiques. On le connaît sans le connaître, il est de Fort-de-France mais il n'est pas d'ici, et son créole même a tous les horizons. L'enterrement de Man Gnam aurait pu être triste, se souvient-il. Ses enfants avaient enjambé l'eau, vers Paris, avec l'aide du Bumidom *. Leurs nouvelles n'arrivaient plus que par cartes postales, sans enveloppes. Le dimanche après-midi, quand la chaleur force chaque persienne, Man Gnam halait son tabouret sur le pas de sa porte, étalait ses cartes postales sur un dos de bassine, devant elle, et voyageait là comme ça, avec ses enfants, dans les neiges du grand pays. Solibo Magnifique venait souvent s'asseoir à ses côtés, et voyageait aussi. Il était le seul à pouvoir dissiper cette langueur de bête-longue qui possédait Man Gnam. Elle n'avait plus d'allant, mangeait à peine, et n'injuriait plus les

* Bureau des migrations des départements d'outre-mer.

voitures qui klaxonnaient auprès de ses fenêtres. Aucune mère ne supporte l'éloignement de ses enfants, mais chez les vieilles négresses, lutteuses en bord d'abîme, cela provoque une noyade immédiate, sans annonce, sans appel, comme pour ces coqs triomphants qui s'éteignent dès leur retraite des pitts. Man Gnam mourut en silence, étouffée d'amertume. Si Solibo Magnifique ne l'avait pas trouvée avant la police, son enterrement aurait pu être triste. Nous l'aurions vue à la chapelle de la morgue, formolée comme une étoile de mer pour touristes, avec la gaule blanche des indigents d'hôpitaux et le latin automatique d'un abbé de passage. Solibo alerta le marché et proposa une veillée. On ne va pas la laisser partir comme ça, répétait-il. Il faut dire qu'à cette époque, les veillées n'existaient déjà plus que dans la mémoire des enragés de tradition. Solibo ne pleurait pas la tradition, mais Man Gnam était du monde de la parole et des veillées, et elle avait natté tellement de tristesses ces temps-ci que nul, l'aimant, n'aurait pu accepter son départ en l'autre bord avec seulement une attestation du médecin, un permis de la mairie, une goutte d'huile sacrée, et puis une descente au cimetière sans même une procession dans les rues du pays. Avec l'aide de Man Goul (une marchande ancestrale) et de Man Élo (reine du manger-macadam), Solibo Magnifique s'occupa de tout. Man Gnam fut baignée à l'eau parfumée d'herbes, habillée du madras des dimanches.

Solibo cacha les miroirs, balaya la maison, creva ses poches pour gagner le cercueil, les bougies, le rhum, le sucre, les citrons, le café, et une-deux paquets de légumes-soupe. Le soir, une compagnie de négresses à mémoire vint poser sa vieillesse autour du corps, dans la chambre de Man Gnam. Avec la ferveur et les tremblements des additions de l'âge, elles chantèrent et récitèrent jusqu'au point du soleil leurs cahiers de cantiques : *À la mort, à la mort, pêcheur tu revivras, pêcheur à la mort le Seigneur te jugera* ——— et Solibo présentait par ici les timbales de café ———, *autrefois Seigneur sans alarme, de ta loi maudissant la flamme, hélas vœu superflu!* ——— et Solibo offrait par là les bols de soupe claire ———, *beaux jours perdus, tous s'humilient, grand dieu! si vous nous pardonniez nous n'aurions plus de larmes* ——— et Solibo extasié ressortait les timbales de café, les bols de soupe. La compagnie des hommes s'était entassée dans la cuisine, nombreuse, et avait fini par déborder dans la rue. Une-deux, gros nègres, avaient sorti des tambours et brisaient la nuit d'une cavalcade de cœur. Et ils écartaient la grande peau de leur gueule pour héler des : Hooo Solibooo, le rhum appartient à la bouteille alors ?!... Ou bien : Hooo Man Gnam, dis-nous à qui tu as donné les sept chiques, le gros-pied et le malgraines ?!... Et ils riaient comme des trompettes. Toutes les deux minutes, chacun se levait pour donner un quart de mot sur Man Gnam : Mes enfants, elle aimait téter trois choses : sa pipe chaque soir, le vermouth chaque dimanche, et le rhum tout le temps!... Leurs rires gras et épais soulignaient les paroles inutiles. Les yeux pleuraient de contentement. Rhum et soupe s'engouffraient dans des gorges sans fond. Alors, bien entendu, des nègres bien élevés quittèrent leur lit pour injurier à leur fenêtre, car bordel! bande isalops, c'est pas parce que vous ne travaillez pour personne qu'il faut empêcher les autres de dormir!... Leurs malédictions demeurant sans effets, ils durent se précipiter sur leur allô-allô, car en un rien de temps plus tard, la police opéra une descente. Le chef de la patrouille, l'œil sauvage, nous demanda : Comment s'appelle la vagabonnagerie que vous faites là, han!... (Dieu merci, ce n'était pas Bouaffesse!) Solibo Magnifique entra alors en scène. *Ô parole maîtresse, mi!...* La police resta bec cloué devant lui. Gueules de nègres et tam-tam cessèrent de battre. Sa voix tourbillonnait, ample puis grêle, cassée puis chaude, moelleuse puis cristalline ou criarde, et s'achevant sur des graves de caverne. Une voix de caresse, de larmes et d'enchantements, impériale et sanglotante, et qui riait, et qui raillait, et qui tremblait dans des murmures, qui creusait ou s'envolait dans les limites aphones. Seul quelque écho du cantique des vieilles s'entendait quand, pour respirer, il avalait deux mots. Il célébra Man Gnam là comme ça, de belle manière. Sa vie et ses misères furent dites, reconnues et pleurées. Chaque dimension de son cœur fut explorée, et

Solibo consacra toute la nuit à épuiser les chemins de bonté de son âme. C'est un deuxième car de police, dirigé par un commissaire français, qui désenvoûta les premiers policiers, distribua deux cents coups de boutou, et embarqua une queue de nègres saignants dont Solibo lui-même. À la prison centrale, devant nous, il pleura nia nia nia de ne pouvoir assister à la mise en terre de Man Gnam —— mais jamais, pièce temps jamais, cette prison que je connais bien ne vibra d'autant de rires, de chœur répondants, de ti-bwa et de paroles, de paroles, de paroles... Maintenant tout cela se rassemble dans ma tête et forme un souvenir : celui d'un bel enterrement pour Man Gnam. Sans le Magnifique, elle serait morte comme une chienne, exactement comme lui-même à cette heure...

Se taisant, la Fièvre nous réexpédie au mitan du malheur, là où les policiers s'amusent toujours de Solibo. Congo, comme nous, regarde, baisse la peau des yeux, s'éloigne, revient à la vitre pour regarder encore. Soudain, alors que la Fièvre a renoué son spectral silence, il nous écarte violemment. Du front, il brise la vitre. Son visage ensanglanté s'écrase contre le grillage : Oala pan hespé, il n'y a plus de respect, alors ?!... À force de silence douloureux, nous hurlons avec lui.

Le fracas de la vitre et les cris de Congo brisèrent l'hypnose. Jeté en direction du brancard, le cadavre du Magnifique s'y posa comme une bulle. Pilon, immobile en plein soleil, ne s'intéressant qu'au cadavre, le brigadier-chef et ses acolytes chargèrent le car avec des cris de zoulous, en ouvrirent rageusement les portières, boutous en oriflamme, sautillant d'impatiences. Mais Bouaffesse voulut savourer l'instant : Pas de gros sauts, souplé... Les témoins entassés au fond, Congo se tenait seul près de la vitre brisée, farouche, le sang de son visage inondant ses épaules. C'est encore toi, papa, grinça Bouaffesse, c'est toi le plus enragé de la compagnie ? Tu n'as même pas de bonnes manières sous tes cheveux blancs ?! Je te mets gentiment dans la voiture du béké en attendant que l'inspesteur règle les dispositions circonstanciées de la procédure légale, et toi, comme un sauvage sans baptême, tu casses la vitre et tu injuries la population urbaine mais néanmoins en ordre public ?! *Descends !...* Le vieux nègre se dressa face au brigadier-chef, l'affrontant du regard sous les yeux cauchemardesques de Jambette et de Diab-Anba-Feuilles, et des témoins tassés encore. Pourquoi tu as fait ça, Papa ? siffla Bouaffesse.

— Pani hespé, pani lavi, hi bray !

— Ho, Diab, qu'est-ce qu'il bave là ?

— Il dit que les gens ne vivent pas sans respect, chef !

Bouaffesse se rapprocha jusqu'à toucher du ventre le corps sec du vieillard : Respect, respect, c'est toi qui parles de respect ? Moi, je suis un homme de respect qui respecte tes cheveux blancs, sinon j'aurais déjà écrasé ta tête sur la maçonnerie ! Non, non, où est Stéphanise ma maman pour qu'elle voie ça ?! Un vieux nègre qui sort de je ne sais où et qui vient se mettre devant moi pour parler de respect ! Dieu seigneur ! Je respecte tout, moi : Jésus-Christ, le Pape, la République mère-patrie, la Sécurité sociale, Air France, la Banque Nationale de Paris, et même le Crédit Martiniquais, je respecte la Loi, la Philosophie, la Paix dans le monde, l'O.N.U., de Gaulle, la 604 et même la Deux-Chevaux, je respecte Schoelcher, Félix Éboué, Jeanne d'Arc, les coulis, j'aime pas les Haïtiens mais je les respecte ! Toi, tu es un chien sans maître, où est ton respect ?! Tu sors de ton bois pour empoisonner sur la Savane un brave bougre qui ne t'a rien fait, et tu viens me parler de respect ?! Apprends que malgré tes cheveux blancs je vais purger tes graines car je sais que c'est toi qui as empoisonné Solibo, je ne sais pas avec quoi mais je sais que c'est toi, donc au nom de la Loi je vais purger tes graines jusqu'à ce que tu me dises avec quoi tu l'as tué !... Le vieillard subissait l'assaut sans ciller. Son calme rendait dérisoire la violence haineuse de Bouaffesse. Pilon s'interposa : Je vous en prie, Brigadier, ne gênez pas la procédure !... Le mot *procédure* avait toujours de l'effet sur le brigadier-chef. Douché, il fit signe à ses hommes d'étouffer leur boutou puis se brancha en direction des pompiers qui s'amusaient à leur tour en faisant virevolter Solibo au-dessus du brancard. Leur joie s'abîma contre le visage en procès-verbal qu'affichait Bouaffesse, et ils bégayèrent de vagues choses apaisantes. Le brigadier-chef constata néanmoins d'une voix officielle qu'ils étaient en train de dévergronder le principal macchabée d'une enquête criminelle, de quoi les inculper de détournement de cadavre à des fins non apostoliques et romaines. Avec une lenteur étudiée, il nota leur état civil, puis leur ordonna méchamment d'emporter le corps au docteur Lélonette. L'ambulance des pompiers démarra à pleins gaz. Les hurlements de pneus couvrirent une partie de la déclaration qu'adressait l'inspecteur principal aux témoins. Congo avait regagné le car et se pressait le front. L'éloignement de Bouaffesse et des autres uniformes avait dégelé la compagnie, elle s'était rapprochée des battants que Pilon maintenait entrebâillés. En raison d'indices graves et concordants de nature à motiver certaines inculpations, répétait l'inspecteur, vos auditions reprendront à l'hôtel de police, durant une prolongation de votre garde à vue. Les désormais suspects en demeurèrent muets, et même saisis, oui.

4

MES AMIS, DANN !

PILON VOIT ICI QUE
L'ENQUÊTE PRÉLIMINAIRE
FUT SEULEMENT CRIMINELLE...

(Pleurer ?
Congo.)

Les suspects furent débarqués dans la cour de l'hôtel de police en début d'après-midi. Comme toujours en période de carnaval, le renforcement des patrouilles avait vidé l'immeuble. Inspecteurs et commissaires, pour la plupart métropolitains, n'apparaissaient dans leur bureau que le matin, ensuite, en chemise à fleurs et bermuda, ils traquaient nos mœurs carnavalesques pour leur album de souvenirs. Face au chef de poste qui avait relevé Bouaffesse (un nommé Raffine Albert, crié Grippe-Frissons), les suspects durent se vider les poches (petite bouteille d'eau bénite, crucifix, bouts de chapelets, quelques centimes, une capsule de pepsi, deux épingles à cheveux, une paire de ciseaux, trois aimants, un carnet, un crayon...), décliner une nouvelle fois leur état civil et patienter en file indienne jusqu'à ce que le brigadier-chef Raffine (d'une écriture qui n'atteignait même pas le zéro à l'heure, non) ait tout noté sur le registre des consignés. Quand ils purent enfin s'asseoir sur les bancs scellés du local de Sûreté, l'après-midi allongeait ses grandes ombres. L'immeuble désert fournissait déjà un écho inépuisable aux clameurs des vidés...

De son bureau, Évariste Pilon téléphona vainement au commissaire, et chercha, sans plus de succès, à joindre un des inspecteurs de l'Identité judiciaire. Ces derniers avaient fait diligence pour libérer leur après-midi : un dossier était posé en évidence sur le bureau. Pilon l'ouvrit et lut rapidement :

> Note de l'archiviste à l'inspecteur principal É. Pilon :
>
> • Nom de la victime (sous toutes réserves) : Prosper *Bajole*. Né approximativement dans les années vingt, à Sainte-Marie.
>
> • Sur fiche : trois arrestations pour ivresse publique, coups et blessures volontaires à agents de la force publique... quelques séjours à la Maison Centrale.
>
> • Nota : aucun document officiel ne confirme cet état civil — la chose est ici fréquente. *Solibo* : était-ce le seul surnom utilisé ? Cela me serait utile pour d'autres précisions.

Quelques anciennes fiches d'arrestation, deux photos anthropométriques où la victime apparaissait plus jeune, un relevé topographique des abords du tamarinier, avec numérotation des emplacements du cadavre et des objets placés sous scellés, la liste de ces objets, des empreintes digitales agrandies, quelques formulaires vierges et des photos du cadavre complétaient le dossier. Tout cela était encore net, propre, comme à chaque ouverture d'enquête. Bientôt, déformé et noirâtre, il renfermera un fragment d'existence de l'inspecteur principal. Pilon se fit couler un café qu'il sirota sans sucre en passant quelques coups de fil : Allô chabine dorée ? c'est vara, oui, je ne pourrai pas aller aux vidés avec toi et les enfants, un assassinat, oui ma permanence est finie mais je tiens à boucler cette affaire, juste quatre ou cinq heures, ne m'attends pas. ——— Allô ? Docteur Lélonette, s'il vous plaît... il n'est pas arrivé ?... oui, oui, c'est moi qui vous l'ai fait parvenir, assassinat, on l'a tué cette nuit sur la Savane pas en Guadeloupe, oui, je sais, les fourmis pourraient le laisser penser, mais je vous jure qu'il vient de la Savane, en plein Fort-de-France, dites au docteur Lélonette de commencer l'autopsie dès que possible, je pense à un empoisonnement... qu'il fasse vite, je m'occupe de la réquisition du procureur... ——— Allô ? Docteur Viantot ? ah, il n'est pas là... vous avez reçu mes échantillons ? bien... juste le taux d'alcoolémie... rapport habituel... Il raccrochait à peine que la sonnerie retentit. C'était le brigadier-chef Bouaffesse désireux d'intégrer quelques citations créoles à son procès-verbal de l'incident Doudou-Ménar, puisque tu m'as dit comme ça que c'était une langue...

— Ça, on s'en fout, Brigadier : la Justice n'en est pas encore là...

Pilon fit enfin ses écritures. Il remplit et signa le cahier de garde à vue. Il rédigea son procès-verbal de transport sur les lieux, puis un rapport de l'affaire qu'il alla déposer sur le bureau du commissaire. Il compléta quelques imprimés, rédigea quelques notes de synthèse à propos de quatre dossiers ennuyeux qui traînaient sur son bureau et qu'il empila au-dessus de l'armoire. Enfin, sur une grande feuille de papier quadrillé, il écrivit le nom de chaque suspect, avec en face, entre parenthèses, des remarques illisibles, des points, des étoiles, des petites croix... Messieurs et dames, le cerveau de Pilon, devant sa liste, chauffait comme une Fiat 600. Chaque nom lui renvoyait des détails d'audition, des gestes anodins, des regards, des attitudes imperceptibles. À croire que le méchant policier portait une kodak dans la tête et qu'il visionnait un petit cinéma, pas porno mais personnel, avec sons et couleurs, cadrages et angles de vue dont les lois relevaient certainement des arts policiers en matière criminelle. Il traçait ses schémas avec des flèches montantes et des flèches descendantes, encadrait des noms, en soulignait d'autres, téléphonait à l'archiviste et complétait son inquiétante géométrie. Parfois, il saisissait les photos du cadavre, les examinait mélancoliquement en se lissant les cheveux sous le bakoua. La déroute envahissait son regard quand il sortait sa loupe pour scruter les fourmis, ou même quand, mains à la nuque, il se remémorait l'épisode du cadavre s'alourdissant, ou devenant plus aérien qu'une cervelle de coiffeur décollée à l'absinthe dès cinq heures du matin. Le téléphone sonna souvent : le brigadier-chef Raffine qui s'inquiétait d'une signature du billet de garde à vue, le commissaire lui-même qui, depuis une terrasse impériale, se renseigna sur « le mort de la Savane » et promit une réquisition du substitut de permanence pour l'autopsie du corps, enfin Bouaffesse, signalant le zèle de Jambette et de Diab-Anba-Feuilles, prêts à aider l'enquête malgré la fin de leurs horaires. Évariste Pilon accepta, se retroussa les manches et, bientôt, ouvrit la porte de son bureau au brigadier-chef. Tête nue, chemise ouverte, ce dernier portait un sachet de victuailles. Dans le couloir, Jambette et Diab-Anba-Feuilles, d'un air important, disposaient un banc pour quatre des suspects. Bouaffesse était gai, plus excité qu'un chasseur sous un vol de sarcelles : l'enquête allait donner, fout'.

Qui a tué Solibo ? L'écrivain au curieux nom d'oiseau fut le premier suspect interrogé. Il parla longtemps longtemps, avec la sueur et le débit des nègres en cacarelle. Non, pas écrivain : *marqueur de paroles*, ça change tout, inspectère, l'écrivain est d'un autre monde, il rumine, élabore ou prospecte, le marqueur refuse une agonie : celle de l'oraliture, il recueille et transmet. C'est presque symbolique que je fusse là pour la dernière parole du Magnifique. Il ne m'avait pas informé de cette prestation, je l'ai simplement attendu chaque nuit, à la troisième il était là... Je le connaissais sans le connaître, il m'avait accordé quelques entretiens au marché ou dans des bars. Je lui avais dédicacé mon livre, mais il ne s'était jamais vraiment intéressé à moi... Il ne s'intéressait pas non plus à mon projet d'écriture de sa vie : l'écriture pour lui ne saisissait rien de l'essence des choses. Ce qui n'est pas mon idée, bien entendu. Nous sommes ici dans un frottement de mondes, inspectère, un espace d'érosion, d'effacement où...

— Trop de philosophie ! trancha Bouaffesse, explique-nous plutôt si Solibo a mangé quelque chose sous le pied-tamarin...

Mais l'écrivain n'apporta rien de plus. Solibo Magnifique n'avait rien avalé, personne ne l'avait approché, il était tombé tout seul, et cætera. Non, il ne lui connaissait pas d'ennemis, non il ne lui connaissait pas d'adresse précise, non il n'avait que peu de rapports avec les autres suspects, il maintint sa déposition, la relut, persista et signa. Bouaffesse quitta sa machine à écrire pour le pousser dans le couloir : Allez marche, nègre inutile ! Au suivant...

Qui a tué Solibo ? Le « Syrien », un bâtard libanais du nom de Zozor Alcide-Victor, se montra plus à l'aise et tint à parler de Solibo d'une manière générale afin d'éclairer notre conversation car c'était un nègre important, monsieur l'inspecteur. Sa vie soutenait des dizaines de vies. Il n'était pas du genre à se mêler des affaires des gens, mais quand on lui présentait un mal de vivre, même un rien de chagrin, il répondait présent. Son équilibre interne le plaçait d'emblée dans un ailleurs. Je m'intéresse aux arts martiaux depuis des lustres. Sans être ce que l'on pourrait appeler un maître, j'ai atteint dans ce domaine un certain niveau. Ma rencontre avec Monsieur Solibo s'est produite dans des circonstances particulières. Un soir, sur la Savane où je prenais le frais, juste sous la statue de Desnambuc. Trois ivrognes s'approchèrent. Deux d'entre eux me bousculèrent en proférant des injures. Le troisième pissait plus loin, sous un tamarinier. Je ne dédaignais pas d'utiliser mes techniques de combat. Aujourd'hui ce serait différent. L'art martial cesse bien vite d'être une technique pour devenir un éveil de l'esprit, un non-être qui intègre l'univers, une paix. Je maîtrise donc les deux ivrognes et je me dirige vers le troisième. Il n'avait fait montre d'aucune agressivité, mais je tenais à le neutraliser aussi. L'art de la guerre exige que tous les ennemis potentiels soient stoppés. Or, je m'avance. Le troisième ivrogne était ce monsieur Solibo. À quelques pas de lui, je m'aperçus d'abord qu'il n'était pas soûl. Du tout. Il était endimanché, avec un ridicule petit chapeau de détective des films de série B. Je m'avançai encore. C'est alors que je le distinguai mieux. Visage haut, il souriait, mais son regard reflétait une extrême concentration. J'avais en face de moi une respiration contrôlée, un esprit en état de silence, un corps dénoué parcouru d'énergie libre. Toute envie de bataille m'abandonna, j'étais immobile, comme en équilibre au bord d'une falaise, vaincu. Croyant qu'il s'agissait d'un adepte des arts martiaux, je le saluai comme tel et reconnus ma défaite dans les règles. Éclatant de rire, inspecteur, il me dit de sa voix extraordinaire : Qu'est-ce que tu dis là, viens boire un petit pétrole avec Solibo... Voilà. Depuis, j'ai toujours prêté une oreille attentive à ses prises de paroles, glossolalies toujours étonnantes, mais je ne le connais pas plus que cela. Quelque punch au hasard d'une rencontre, quelque djob accordé dans mon magasin... Le Syrien s'exprimait d'une voix posée, qui appuyait les *r* et pourchassait les *i* créoles. Avec des gestes maniérés, il soulignait de sa main fine les mots importants et vérifiait tout le long les plis de sa chemise. Pas d'ennemis, pas d'adresse, Solibo n'avait rien avalé et personne ne l'avait approché. Il ne s'était pas trouvé sous le tamarinier uniquement pour Solibo, c'était aussi le lieu de ses rendez-vous avec une adorable qui n'est d'ailleurs pas venue, inspecteur... C'est beaucoup d'histoires pour un infarctus, conclut-il en signant sa déposition.

— Pourquoi supposez-vous un arrêt cardiaque ?

— Comment expliquer autrement une mort aussi soudaine ?

— Par un poison arabe que ton papa t'aurait appris ! proposa Bouaffesse.

Le Syrien sortit d'un pas moins ferme.

Qui a tué Solibo ? Durant les auditions, l'inspecteur principal se tenait à la fenêtre, mâchouillant une frite, ou aspirant une gorgée de jus. Il posait les questions d'une voix aimable et reformulait les réponses en phrases nettes et concises que Bouaffesse transcrivait sur le procès-verbal. Les suspects se raccrochaient désespérément aux tranquilles postures de Pilon. Ils tournaient la tête dans sa direction, cherchant à noyer leur regard dans le sien, car en face, de la masse bleutée du brigadier-chef, émanait un danger permanent, ruant sous l'uniforme. Pilon en prit conscience grâce au suspect suivant : Justin Hamanah, crié Didon, djobeur au marché aux légumes. Noué par ses muscles, le couli était entré d'un pas raide, s'était assis au bord de la chaise et, yeux perdus sur un Bouaffesse attentif aux touches de sa machine, il avait murmuré ses réponses aux questions. Quoi tu dis là ? s'était inquiété Bouaffesse, en se rapprochant. A-a ! on crut entendre une agonie de trompette. L'air de la pièce fut là même infesté par des effluves d'haricots rouges fermentés au rhum vieux dans une décomposition de viande-cabri et d'ignames bouillies. Le couli n'avait pas bougé, mais il tremblait, grinçait des dents et fixait Bouaffesse avec des yeux de fourmilière brisée. L'inspecteur principal et le brigadier-chef bondirent ensemble à la fenêtre. Ils ne rencontrèrent qu'un air vitreux, étouffé par le 30 de chaleur du carême déjà là. Bouaffesse se ressaisit le premier et revint au suspect : C'est toi qui l'as tué, hein ?! Si tu fais caca sur toi comme ça, c'est que c'est toi qui l'as tué, hein, RÉPONDS !... L'eau avait surgi des yeux du couli et dévalait ses joues : An pa tchoué pêson, je n'ai tué personne... Pilon observait tranquillement. Dans son schéma, le nom du couli n'avait été ni encadré, ni souligné, et les archives ne conservaient de lui qu'un stigmate de vol de poules du côté de Tivoli. Dans sa première audition, sur la Savane, il avait déclaré bien connaître Solibo Magnifique (Je djobais son charbon au marché), de façon tellement respectueuse que l'inspecteur principal n'avait pas insisté. Accroché aux narines par la main maudite (Quel poison tu lui as donné ? un poison-couli ?), se tortillant sur la chaise poisseuse, muet malgré le rugissement de Bouaffesse, le couli avait simplement atteint une extrémité de l'épouvante. Pilon ouvrit la porte et fit signe à Diab-Anba-Feuilles qui l'entraîna sans ménagement dans le couloir. Avec deux doigts, Bouaffesse repoussa la chaise souillée. Tiens mon fi, dit-il à Jambette, c'est pour tes étrennes.

— Tu les épouvantes...
— Moi ?
— Ouais.

— Tu dis ça comme si j'étais Dracula avec ses deux grandes dents...

— Il faut qu'ils parlent, qu'ils parlent beaucoup, pas qu'ils soient pétrifiés...

— D'accord. Je vais mettre ma figure du dimanche des Rameaux...

Quand le couli revint, presque nettoyé, le sourire inattendu que lui adressait Bouaffesse eut les mêmes effets : trompette, infection, tremblade et cætera. Sans mot dire, Diab-Anba-Feuilles le ressaisit au collet et l'emporta. Au suivant ! soupira Pilon.

— C'est la prostituée vagabonde, annonça Bouaffesse.

Qui a tué Solibo ? La nommée Conchita Juanez y Rodriguez, se disant colombienne, ne savait rien de plus que les autres. Une abondante chevelure lui sculptait les épaules d'ondulations bleutées, tout en parfums. Elle conservait autour des yeux, sur les lèvres et les joues, une ruine de maquillage qui n'occultait plus rien de sa fatigue, ou du compte de ses années, mais qui, nuancée par une grâce naturelle, la rendait émouvante. Elle connaissait Solibo comme la plupart des noctambules de Fort-de-France, nègres sans adresse, n'affleurant cette vie que la nuit, aux lieux des flambeaux du jeu-serbi, des bancs publics, des prostituées, plus furtifs que des rivières dans la grand-soif des Sud. Les ombres leur changeaient notre vie, et la lune par ses reflets prégnants dessinait sur la ville des grappes d'autres sentiers, comme en forêt, avec les libertés de la forêt. Alors la Colombienne les voyait, Solibo et quelques autres, régulièrement... Il aimait ton matériel, ricana Bouaffesse...

— Nooo, il venait voir la Saraïbe...

— La Caraïbe ?...

Solibo hantait les abris de la prostitution, sans refuser d'en être client quand un argent le lui permettait. Le plus souvent, de prostituée en prostituée, il présentait à ses compagnons d'autres manières de nous-mêmes : Ah, voici Margareth de Sainte-Lucie, et voici Haïti, parle-nous d'Haïti Roselita, manman ! c'est Clara de la Dominique, et voici Porto-Rico como esta uste ? damned ! qui que je vois là si c'est pas Sacha de la Barbade... la Caraïbe est là ! la Caraïbe est là !... Sans avoir connu ces pays, brisant dans sa tête les os de l'isolement, Solibo Magnifique pouvait en parler, et en parler et en parler... Les confidences de ces femmes, leurs façons de goûter la nuit suffisaient au conteur pour décrire chaque terre, chaque peuple, chaque douleur. Même les femmes du Brésil, du Chili, de Colombie comme Conchita Juanez y Rodriguez, s'étonnaient de sa prescience sur l'Autre Amérique.

— Il avait lu un Larousse en couleurs ! lâcha Bouaffesse en haussant les épaules.

— Nooo, il dissait : La missêrre dessine tous-sours délé mémé ménière...

— Elle dit que Solibo répétait : La misère dessine toujours de la même manière.

Tu la laisses trop raconter de paroles inutiles ! s'énerva Bouaffesse. Il saisit le menton de Conchita, lui captura le regard, lui demanda si Solibo avait avalé quelque chose sous le tamarinier. La prostituée dit que oui ——— et Bouaffesse qui s'apprêtait à tapoter la réponse demeura figé. L'inspecteur principal se rapprocha. Il a bou dé rhum dé lé grosse boteille con lé s'autres, confirma Conchita, et elle ajouta : Il a mangé aussi des chadecs soucrées... Solibo s'était parfois rincé la gorge avec le rhum de la dame-jeanne et, presque au mitan de la nuit, il avait hélé Doudou-Ménar : Laisse-moi goûter ta chadec sucrée pour qu'un sirop donne descendre derrière ma dent gauche !... La Grosse lui avait porté la friandise.

— YO PRI, ON LES A ! hurla Bouaffesse, ils l'ont empoisonné avec la chadec !

Le brigadier-chef et l'inspecteur principal se congratulèrent, tandis que Conchita Juanez y Rodriguez les regardait en souriant, béate d'avoir pu leur rendre service.

Bouaffesse dévale les escaliers comme un journalier agricole qui se rend à l'embauche. Il traverse le hall où les premières victimes des vidés sales (touristes boxés par des images offensées d'une photo, nègres en cravate délestés d'un chéquier...) s'agglutinent au guichet, puis se précipite dans la cour intérieure, vers la benne à ordures. Bouaffesse y plonge (presque), trie les rognures de formulaires, les papiers froissés, les bouteilles de vin et de rhum, les tampons d'encre secs, les papiers carbones pâles, les vieux rubans de machine à écrire, les marinades rassies, les larmes séchées, les boules de poussières où se cristallisent les douleurs rémanentes des archives policières. Soudain, il trouve. Un bout de matière translucide, jaunâtre, saupoudré encore d'un peu de sucre : reste de chadec confite, seul vestige du panier de Doudou-Ménar, pulvérisé lors de sa bataille contre les forces nocturnes de l'ordre public. (Enfants, pas de gêne ici-dans : relisons la parole où Doudou-Ménar entre à l'hôtel de police pour signaler l'agonie de Solibo ——— manière d'hommage car, à cette heure, elle gèle dans le frigo de la morgue.) Bouaffesse, lui, crie encore : YO PRI !

L'inspecteur principal Évariste Pilon fit transmettre immédiatement le bout de chadec au laboratoire. Puis il rappela le couli. Malgré la douche et les vêtements d'indigent fournis par Diab-Anba-Feuilles, des effluves insoutenables enrobaient le malheureux. Bouaffesse tapa sa déposition d'un seul doigt, en se pinçant les narines, tandis que Pilon le questionnait à moitié penché par la fenêtre. Le couli n'avait pas vu Solibo manger de la chadec, ni même boire à la dame-jeanne. Si y'avait eu cinq centimes qui traînaient par terre, tu les aurais vus, hein ? nasilla Bouaffesse.

— Hi hi hi hi, ricana douloureusement le couli dont les nerfs devaient lâcher.

Pilon lui fit raconter heure par heure sa journée, depuis le décollage du premier rhum jusqu'au rassemblement sous le tamarinier. Si Solibo est mort au jour d'aujourd'hui, murmura-t-il après une profonde inspiration, c'est de la main du destin, inspectère, car personne ne nourrissait à cause de lui, dans le cœur, de ces brûlures qui font mûrir la haine. Sa parole amarrait les aigreurs et les emportait sans escale aux usines du respect... ——— Puis, comme si la simple évocation de Solibo lui donnait du courage, comme s'il s'ébattait dans les griffes d'une exigence, le couli parla du charbon : Inspectère, Solibo Magnifique vendait du charbon au marché-légumes. Il fabriquait son charbon lui-même, dans un fond de bois à Tivoli, avec la permission d'une Man Cyanise, mulâtresse, concubine de deux ou trois békés. Ces derniers lui avaient offert des écales de terre par-ici et par-là, plutôt que de reconnaître un seul de son feuillage d'enfants. Man Cyanise qui ne supportait pas un nègre devant ses yeux (elle prétendait même que sa mère, négresse noire comme un fond de chaudière, était une Indienne caraïbe)... Je disais quoi, là ? Ah oui, donc Man Cyanise, boutonneuse quand un nègre l'approchait, n'aurait jamais permis à Solibo de creuser des fours à charbon sur ses terres. Elle était comme ça, pas mauvaise femme, mais les nègres n'étaient pas faits pour elle, ni pour pièce fille de ses entrailles. Quand il y en avait un qui écartait sa gueule pour demander : Man Cyanise, souplé, est-ce que... ?..., elle répondait : Sôti douvan mwen akré neg nouê, disparaîs de ma vue, nègre noir !... Hi hi hi, avec sa voix de vinaigre chaud, tremblée par la vieillesse, sa peau jaune de mulâtresse que l'âge chiffonne facilement, on savait bien qu'au fond elle était gentille. Elle aimait les békés, elle aimait trop les békés, mais vois-tu, à mon âge, je me demande si cela aurait été une marque d'esprit au fil à plomb que de rechercher la vie en boue des nègres de cette époque. Si les nègres avaient eu ces grandes maisons blanches, avec balcons et véranda, avec de la viande au canari chaque jour, eh bien je crois que Man Cyanise aurait aimé les nègres aussi... Donc, c'est Man Florise, la mère de Solibo, qui avait obtenu de Man Cyanise l'autorisation pour les fours à charbon de son fils. Comment ? Je ne sais pas. Man Florise aussi était noire comme hier soir avant la lune (je l'ai aperçue, une fois seulement, près de la caserne Rochambeau où elle vendait du lait aux soldats, tandis que Solibo, marmaille encore, lavait les chevaux de l'état-major)... Je disais quoi, là ? Excuse-moi inspectère, mais ici, dans cette maison de la Loi, on n'a plus sa tête. Donc Florise était noire, mais Man Cyanise lui avait quand même accordé l'autorisation des fours. Tu vois bien qu'au fond elle était gentille. Après la mort de Man Cyanise (pas un seul de ses békés n'est venu dire une bonne parole à sa veillée, non, et pas un seul n'est venu transpirer en suivant son cercueil ! et combien de nègres, hum ? tous les nègres ! toutes qualités de nègres pour boire son rhum ! hi hi hi, les conteurs de la veillée demandaient tout le temps au macchabée : Eh bien, Man Cyanise, tu ne dis pas aux nègres noirs de sortir là devant toi ? on reste ou on part ?... Hi hi hi)... Je disais quoi, là ? Ah oui, après sa mort, les héritiers n'ont pas supprimé l'autorisation des fours. Solibo est devenu vendeur de charbon au marché. Tu n'as pas pu le connaître, inspectère, car tu dois manier des cuisinières à gaz. Mais la compagnie qui cuit son manger autrement l'a connu. Pour vendre, il mesurait son charbon avec une bombe de beurre margarine, deux sous la bombe quand c'étaient des sous, un franc en montant quand c'est devenu des francs. Il s'habillait avec des toiles de sac-farine noircies. Son panama descendait vieux comme une misère jusqu'à ses oreilles. On aurait vraiment dit un couli sans contrat. Mais quand il avait fini ses affaires de charbon, qu'il avait serré le restant sous un établi, il passait son tergal escampé. Et là, c'était un nègre de classe, pas un nègre habillé pour la messe, mais un nègre de classe. En ce temps-là les marchandes restaient devant lui comme lézards au soleil. Il n'était pas du modèle de ces bougres trop jolis pour avoir des graines, c'était un genre qui l'habitait. Même derrière ses sacs, son vieux panama et son linge crasseux, il était présent avec force, et tu ne pouvais pas emporter ton achat de charbon tellement sa parole bizi bizi t'engluait... Je ne veux pas l'imaginer mort, inspectère... Tout ça pour te parler du charbon de Solibo : c'était pas un charbon de bois-friyapin ou de bois-côtelettes qui étouffe ton feu sous la cendre, non. C'était un cristal sonnant, cracheur de flamme comme un chalumeau : un charbon de campêche et de ti-baume, mélangé au bois-zo-bœuf ! Pas un hasard qu'il vende ça, inspectère, car lui-même était un charbon dans notre vie : le charbon c'est le bois, c'est le tronc, c'est les branches et les feuilles, c'est la racine —— et le charbon n'est plus le bois car c'est la flamme et le feu, alors imagine cette magie du feu et de la sève, de l'écorce et de la cendre, de la racine et de la poussière... Entre la forêt et la ruine, inspectère, c'est là que se tient le charbon, et sais-tu ce que disait Solibo avec cette voix des amertumes qu'il prenait ces derniers temps ? Pile, entre la forêt et la ruine, enfant, c'est Solibo... Alors quel ennemi ? Quel poison ?...

Mais l'inspecteur l'écoutait à peine, et Bouaffesse recentrait la bande de sa machine.

Évariste Pilon rappela l'écrivain, la prostituée et le Syrien, les questionna au sujet de leur journée et tenta vainement de leur faire se rappeler Solibo en train de boire ou de manger. Il nota les bars où ils avaient bu, les noms et surnoms de ceux qu'ils avaient rencontrés, les rues où ils avaient erré, les bancs où ils avaient dormi. Il leur demanda de lui indiquer quelques proches du monsieur Solibo, ami, frère, susceptibles de révéler son adresse, de lui signaler d'éventuels ennemis, parler de lui... Des noms furent donnés que l'inspecteur principal releva soigneusement. Quand il voulut les renvoyer au local de Sûreté, l'on s'aperçut que le couli flageolait sur ses jambes. Diab-Anba-Feuilles, sans trop chercher à comprendre, lui empoigna les cheveux et l'entraîna dans le couloir. Les autres suspects n'eurent pas la moindre protestation. (Est-ce parce que Bouaffesse qui n'avait dit mot semblait guetter le prétexte pour entrer en sauvagerie ?)

Driiing !

— Pilon, j'écoute... Ah, docteur Lélonette, comment allez-vous ?... Oui... je ne veux pas vous gâcher le carnaval, mais j'ai treize personnes en garde à vue... il me faut rapidement les résultats de cette autopsie... je veux les coupables avant demain soir... oui... non... moi, je suppute un empoisonnement... ça vous paraît improbable ? ah, ah, j'ai pourtant des indices en béton... tenez, on va vous aider : dans son estomac vous trouverez un bout de fruit confit... tout est là... demain, en fin de matinée ? j'y serai... oui... oui des fourmis-manioc... oui, je sais... c'est curieux, mais il y a pire...

Jusqu'aux premières rougeurs du ciel, l'inspecteur principal et le brigadier-chef auditionnèrent sept autres suspects :

1

Pierre Philomène Soleil, crié Pipi, raconta sa journée avec une précision étonnante : hauteur de son premier rhum, nombre de djobs effectués le matin, et de carreaux de fruit à pain avalés vers midi. Il raconta la préparation du vidé sale auquel il participa, indiqua les rues empruntées, chanson après chanson, jusqu'à celle où il s'affaissa sous le tamarinier avec une dame-jeanne de tafia. Puis le cri de Solibo, sa chute, et l'attente du retour de Doudou-Ménar : Oui on aurait pu l'attendre jusqu'à la mi-carême, comme dans la chanson, mais la patience, inspectère, et la douleur ? Rien n'était plus pareil pour nous, le corps coincé de Solibo défaisait notre vie, la hélait, la *pesait,* et tu sais ce que vaut la vie d'ici quand on la pose devant la mort. Alors, en manière de fuite, on se levait au-dessus du corps pour cueillir les souvenirs, et les partager comme des fruits de saison : c'était ramener la mémoire en oxygène, pour vivre, ou survivre... ——— Face aux policiers un peu interloqués, Pipi répondait aux questions en une parole ininterrompue, aux résonances visiblement intérieures. Noon, Solibo n'avait pas d'ennemis, exactement comme les ignames ou le soleil n'en avaient pas, non il ne lui connaissait pas d'adresse précise car seul importait de savoir si l'homme portait un cœur, et à quelle hauteur de poitrine... Puis, se penchant vers Pilon, il dit :

Sans vouloir te conseiller (tu es une maître-pièce de la policerie, et je le sais), chercher qui a tué Solibo n'appelle aucune vérité. La vraie question est : Qui est Solibo ?... Quand maintenant tu ajoutes : Et pourquoi Magnifique ?..., je suis content. Je suis content parce qu'ici, il faut sarcler les vraies questions. Questionner la terre-là, la mer-là, le ciel-là, la manière de ce morne, le nom de cette rue-là, l'horizon où parfois des pays inconnus pointent leur ombre. As-tu déjà interrogé la forme de ton nez, tes jambes trop longues ? ton propre nom ? Qu'as-tu déjà demandé à ce nom : Pilon ? Sais-tu s'il te porte la souvenance d'un aïcul nègre-marron à qui l'on aurait fendu le fil du pied ? Et si le bobo s'était infecté et qu'on lui avait coupé la jambe ? Et si les nègres de l'habitation l'avaient alors crié Ti-Pilon ! Ti-Pilon ! à cause d'un bois courbaril qu'il aurait fixé à son moignon ? Ça fait sauter ton cœur, hein ? Eh bien, j'ai appris cela de Solibo : apprendre à questionner, plus de certitudes ou d'évidences, mais la question, toute la question. C'était ça, Solibo. Tu comprends le « Magnifique » ? — L'inspecteur principal et le brigadier-chef, presque malgré eux, le laissaient parler, plus intéressés par la curieuse personnalité du djobeur que par ce qu'il disait. Ils avaient devant eux un mâle-nègre dont les yeux cillaient à peine, et qui n'inspirait pas l'envie de l'empoigner ou de hurler. Pipi n'avait pas souvenir que quelqu'un ait approché Solibo sous le tamarinier, ou même si ce dernier avait avalé quelque chose, car l'essentiel à voir et à entendre fut la parole du Papa : le *dit.* (Suivit tout un développement sur les mots du Magnifique qui énerva Bouaffesse.) Parmi les suspects, il ne connaissait bien que Didon le couli et Charlot le musicien, vaguement l'Oiseau qui écrit tout le temps. Il n'était pas un proche de Solibo comme pouvait l'être Sucette le tambouyé, mais il tint à parler du Papa dans ses jours les plus beaux. Après un court silence, Pilon lui demanda quelques noms de gens capables de le renseigner sur la victime, puis lui présenta sa déposition qu'il signa de deux croix, une vieille eau dans les yeux.

2

Le nommé Bête-Longue passa plus de temps à se faire expliquer les questions qu'à y répondre. Sa journée et même ce qu'il avait pu voir durant la nuit fatale demeurèrent un mystère malgré les empoignades et les cris de Bouaffesse. A propos du Magnifique, il devint plus loquace, ses yeux même s'animèrent comme s'il émergeait d'une noyade pleine d'ennui. Il n'était pas l'ennemi de Solibo, il n'avait aucun différend avec lui, bien au contraire, non il ne l'avait pas rencontré durant ses dernières heures car Solibo n'avait pas vendu de charbon ce jour-là. Durant le carnaval, le marché tourne au ralenti, inspectère, les marchandes descendent tard et remontent tôt. Quant aux acheteuses, elles réservent leur la-monnaie aux sucreries des fêtes. Le Magnifique en profite généralement pour monter auprès de ses fours à Tivoli, sur les terres de la défunte Cyanise. C'est ce qu'il a dû faire ce jour du destin, inspectère. Ça m'aurait étonné qu'il ait vu du monde. Près de son four, Solibo devenait comme un arbre. Il pouvait rester etcætera d'heures sans bouger, à causer pour lui-même, dans sa tête. Je t'en parle car je l'ai vu comme ça, ces temps-ci, de mes cocos-z'yeux. En cherchant mes ratières, je m'étais égaré dans ces bois-là, à l'environ de son four, et je l'ai aperçu au travers d'un razié. Assis dans la fumée. Raide. Sa bouche battait silencieusement. Il devait se dire des choses terribles sur la vie d'ici. Sa joie, son allant semblaient éteints. Je découvrais un nègre en souffrance comme ta police les ramasse les dalots des Terres-Sainville. C'était grande peine de voir ça. À quoi bon, Seigneur, montrer certaines choses ? J'ai levé mes pieds sans me signaler, pour rentrer à case téter mon rhum. Jeanne-Yvette, ma concubine, a même cru que j'avais buté sur une diablesse des bois, tant je lui paraissais cagou. Je restais muet, devant et derrière ses questions. Inspectère, il y a des marins-pêcheurs qui se laissent surprendre en pleine mer par des nuits en avance, sans lune et sans étoiles. Pourtant, tenant cette déveine par le col, ils continuent de naviguer, de travailler : ils savent que du côté des hommes, entre les cases de la plage, un feu leur indiquera le chemin... Ils accrochent leur vie à ce feu et y puisent leur courage. Pour nous, Solibo Magnifique c'était ça. Une lumière d'horizon qui souffle *Tjenbé rèd! Tjenbé rèd!* et qui t'aide à survivre par le simple fait d'être là. Alors comment avouer à Jeanne-Yvette que je l'avais vu en détresse comme nous-mêmes, dans le mitan d'une même déveine ? J'ai traîné mon découragement durant tous ces jours-ci, le temps que le rencontre à nouveau sous le tamarinier. Te dire mon bonheur de le retrouver apparemment intact ? Rires, force, paroles au vent ? Alors pourquoi penser que je peux l'avoir tué ? Ou même qu'un nègre d'ici aurait pu le faire ? Je ne veux pas te montrer ton métier, excuse inspectère, mais cela fait quarante ans que je traîne dans la boue de Fort-de-France, je connais tous les vices des gangsters vagabonds, des sans-foi-en-dieu, ces nègres qui ne respectent rien je sais de quoi ils sont capables... Alors, tu veux connaître mon sentiment ? C'est petite peine pour moi : ici, inspectère, on ne tue pas les paroleurs (yo paka senyien majolè isiya)...

3

Sosthène Versailles, crié Ti-Cal, fit d'abord une déclaration solennelle : il était militant anticolonialiste du Parti progressiste martiniquais, sa garde à vue n'était qu'une mascarade en vue de saboter la prochaine campagne des élections municipales, à cette heure il devrait être en réunion avec les camarades du balisier* pour discuter de la distinction fondamentale qu'établissait Césaire entre une *in-dépendance* et une *a-dépendance.* En ce qui concerne Solibo, qui aurait pu vouloir l'assassiner ? C'était un bon-vivant. Je le lui ai d'ailleurs reproché quelquefois. Nous sommes en voie de disparition et je résiste. Solibo de même résistait à sa manière, peut-être avec plus d'efficacité que mes affiches et mes tracts. J'ai toujours pris la mesure de sa haute conscience, de son mal de vivre. Sa parole ne cherchait jamais à transformer quiconque, elle était presque pour lui-même. Il ne jugeait pas. Ni ceux qui répètent *Vive de Gaulle* toute la journée, ni les autres comme moi-même qui bêlent : Indépendance, Indépendance... À le voir siroter son rhum de midi avec tel ou tel nègre-gaulois, plus en joie qu'avec moi-même, je protestais : Comment peux-tu boire comme ça avec un tel ?... Il me disait en riant : Holà pitite, c'est la porte de la case qui voit des deux côtés, et chaque côté de la porte c'est encore la case... Sans trop comprendre, je sentais ses assises plus larges que les miennes. Je lui reprochais pourtant son goût du rhum, du tergal, des chemises trop bien repassées. Il aimait les chaussures en miroirs, s'extasiait sur les voitures, ne ratait jamais les zoucs et les matchs de football. Et son goût du manger ? Les dongrès, les trempages, les méchouis flambés au tafia, les féroces à toutes

* Structure de base du Parti progressiste martiniquais.

heures, toute une agitation où, il faut bien l'avouer, il propageait un peu de sa parole de nègre conscient. En fait, il était mieux inscrit que nous tous dans la vie d'ici, il ne poursuivait visiblement aucun mirage, ne se détournait pas de lui-même, mais explorait à fond ce que nous sommes avec un regard de grand touriste, ou d'éternel enfant. Pour qui ne savait pas voir, cela semblait une inscription vaine dans nos petitesses aliénées par l'Afrique ou la France, si bien qu'à l'époque je lui disais : Papa (on l'appelait tous Papa, instinctivement), tu vis comme un nègre sans fondements... Il rétorquait : Trop de vertu ennuie, pitite, et ça ne sert à rien ho ! d'oublier ici au nom d'ici, ou la vie au nom de la vie... Donc, il était présent partout, connu et apprécié, non plus comme conteur (car ces saisons dernières il parlait de moins en moins — peut-être l'âge...) mais comme bougre agréable...

Pour le reste, Ti-Cal ne savait rien. (Vive de Gaulle ! hurla Bouaffesse quand il signa...)

4

Charles Gros-Liberté, crié Charlot, répondit aux questions comme un somnambule, en caressant une traînée blanchâtre qui naissait sur sa joue. Pilon, pour l'aider à se détendre (effet qu'évoquer Solibo semblait leur faire à tous), lui demanda ce qu'il savait des dernières heures du

Magnifique. Charlot dit qu'on ne pouvait rien en savoir : Solibo vivait sans montre et sans calendrier, et surtout sans habitudes. Il n'était réglé que sur la vente de son charbon, sur son punch à midi au *Chez Chinotte,* et sur le jour de la Toussaint où il honorait de bougies saint-antoine sa défunte manman Florise (une larme sur elle, Seigneur). Pour le reste, inutile de l'espérer là où tu l'attendais. Il aurait cadencé sa biguine à contretemps s'il avait été musicien, et sa mazurka n'aurait jamais été piquée au même endroit. Ouiii chaque jour il vendait son charbon, mais toujours différemment : aujourd'hui, il se tenait sérieux à paroler derrière ses sacs, demain, il s'asseyait à quatre mètres et t'en vendait de loin, après-demain ? il commerçait au milieu des sacs éparpillés. À ceux qui cherchaient les raisons de ces macaqueries, il adressait mille rigolades de paroles où il n'y avait certainement rien à comprendre. D'autres fois, il ouvrait les mains sur l'évidence et disait : Ah, c'est pour mieux goûter la vie que je change son goût !... Quoi comprendre, inspectère ? Quant au punch, au *Chez Chinotte,* il y venait régulièrement une fois midi sonné, mais il arrivait par la porte, par la fenêtre ou par-derrière. Parfois, tu le découvrais derrière son verre sans l'avoir vu passer. Et pire : alors que chaque rhumier se fixe, Solibo, lui, papillonnait dans les rhums. Pour telle gorgée c'était du blanc, pour telle autre il hélait la bouteille de vieux ou exigeait le rhum paille. Là il demandait du sucre clair, par ici du sucre brun, de ce côté un sanglot de sirop, ici une goutte de miel ou un punch sec toujours inattendu. Ses présences au *Chez Chinotte* n'étaient jamais les mêmes, il pouvait y rester le temps d'une gorgée ou deux heures durant. À l'aube de la Toussaint, seule certitude : il allumait sur la tombe de Florise douze saint-antoine que pièce vent coulis ne pouvait éteindre. Il se trouvait dans le cimetière sans y être. Tu pouvais le chercher dix mille ans, monter-descendre dans Trabaut sans jamais le rencontrer, ou buter sur lui à chaque pas, devant chaque tombe, à l'ombre de chaque croix, plus présent dans la fête des morts que les vingt mille bougies. En dehors de ces trois moments, déjà sans vraie saison, inutile de chercher à savoir où était Solibo, inspectère, ni même ce qu'il faisait...

Puis Charlot confirma que le Magnifique avait reçu un bout de chadec des mains de Doudou-Ménar. Le reste fit bâiller Pilon...

5

Édouard Zaboca, crié la Fièvre, ne dit hak de compréhensible à propos de sa journée (J'ai donné des chaînes aux rues aléliron comme ça puisque moi-même je suis comme un chemin sur l'horizon de la mer et de la vie...) ou à propos de Solibo (Imagine-le à la verticale, inspectère, dans ses plus beaux jours de beau filao...).

— L'avez-vous rencontré durant la journée ?

— On rencontre le vent qui vient de l'horizon, mais jamais l'horizon. Et dire : on ne rencontre sa propre vie qu'à l'heure de l'après-vie, mais la question c'est, inspectère : qu'est la vie d'ici ? et que dire face à la mort ?

— J'ai bien envie de lui fourrer ma machine dans la gueule ! rugit Bouaffesse.

— Calme, Brigadier. Monsieur Zaboca, essayez d'être plus clair. Qui connaissez-vous parmi les gens actuellement placés sous garde à vue ?

— Je connais Mâââme Sidonise, c'est-à-dire le sorbet au coco qui est une manière de revivre... En vérité, on ne se connaît pas soi-même...

— Et si je te faisais connaître mon boutou ? proposa Bouaffesse en se dressant.

Pilon qui réfléchissait sur son schéma l'arrêta : Pas la peine, Brigadier, pour l'instant il ne compte pas... La Fièvre signa sa déposition d'un graffiti très élaboré.

6

Antoinette Maria-Jésus Sidonise semblait porter sur ses petites épaules treize paniers de misères, toutes les charges de l'âge. Elle demeurait prostrée sur sa chaise, insensible aux criailleries de Bouaffesse, si bien que Pilon dut s'asseoir près d'elle, jusqu'à la toucher, et lui parler doucement. Progressivement, elle s'ouvrit, murmura des mmh, des oui, des non, dit qu'elle ne connaissait pas où habitait Solibo, ne comprit rien à la question sur d'éventuels ennemis, et fut presque anéantie quand on lui demanda si elle avait eu un différend avec le conteur. Elle fut par contre la seule à déclarer connaître tous les suspects (Ils me font vendre...) et avoir vu Solibo dans la journée. Malgré l'excitation de l'inspecteur principal et du brigadier-chef, elle ne raconta sur cette journée qu'une confuse histoire de touffé-requin (sur son schéma, Pilon ajouta une étoile à son nom : elle avait déjeuné avec la victime). Quand ils essayèrent de savoir les suites du repas, Sidonise sursauta : Vous êtes mal élevés, dites donc ! Ce que Solibo et moi on a fait ne vous regarde pas. Il est parti vers deux heures, je crois qu'il montait voir ses fours. Non, il ne m'a pas dit qu'il donnerait une parole ce soir-là sous le tamarinier. J'y suis passée par le hasard de la destinée du Seigneur. Sucette cognait sur son tambour, d'autres personnes attendaient, j'ai attendu aussi... Poison ? Quel poison ? Dans le touffé-requin !... *Mon dieu-seigneur !...* L'hypothèse la renvoya dans une prostration dont elle ne sortit plus. À son départ, Pilon dit à Bouaffesse : Fais-la mettre de côté, c'est l'élément qui relie tous les autres... C'est ainsi que Sidonise ne rejoignit pas le local de Sûreté, plongeant les autres suspects dans d'étouffantes angoisses : Ils l'ont tuée !... La menue sorbeteuse était simplement gardée dans un bureau à part, mais il ne le surent que le lendemain soir...

7

Chabin sec, tout vif de nervosités, Richard Cœurillon pleura avant et après chaque question. Il dit qu'il pleurait sur Solibo, sur la vie et sur la mort, qu'il avait passé sa journée à pleurer dans un bar du quartier Sainte-Thérèse, oui il connaissait Solibo, le grand Solibo, nègre de race, non il ne l'avait pas rencontré ce jour-là, parmi les suspects il connaissait bien Madame Sidonise, quel ennemi, quel ennemi ?... Personne n'aurait pu tuer Solibo, inspectère ! Et Solibo n'avait pas d'ennemis car personne ne pouvait le demeurer longtemps... C'est bien simple : suppose qu'un nègre, pour des histoires de jalousie, de concubines ou de serbi (trois endroits où Solibo avait quelques désagréments), décide de lui planter une jambette. Suppose que ce nègre s'embusque derrière la porte de *Chez Chinotte* à l'heure du rhum, pour piéger le Magnifique, ou qu'il le guette au marché, accroupi derrière un des sacs de charbon, yeux rouges, avec sur la figure plus de mauvaisetés que dans une tinette de vieille femme. Eh bien, ce jour-là, inspectère, même s'il y passait tous les autres jours, *Solibo Magnifique ne vient pas !* Ce n'est pas un seul nègre que j'ai vu tuer ainsi, mais dix, vingt, trente : le bourreau qui surgit, qui plante sa jambette, et qui s'enfuit. Mais pour Solibo ça ne marchait jamais : il ne venait pas ! S'il passe chez toi boire un punch quotidien, et qu'un jour tu lui mets une mort-aux-rats dans le verre, ce jour-là Solibo ne vient pas ! Ça veut dire quoi ? Simplement que malgré son rire gras, ses descentes de rhum, son cyclone de paroles, Solibo Magnifique était dans cette vie comme on est à la guerre : en alerte. Fais-toi raconter par les békés anciens ces histoires de nègres-marrons que pièce chien ne pouvait pister. Des nègres dissimulés dans une forêt grande comme une niche de colibris, mais que rien ne parvenait à localiser. Les vieux chasseurs et les békés d'antan les appelaient *guerriers* ! Solibo Magnifique était de cette catégorie-là. On ne peut pas assassiner ces gens-là, inspectère. Mais je n'ai pas fini avec toi : les ennemis de Solibo ? Ils étaient vaincus sans combat alors ils n'y revenaient jamais ! Comprends : suppose ce nègre-bourreau qui guette le Magnifique avec une jambette. Il le guette par-ici, Solibo vient par-là, il le guette par-devant, Solibo vient par-derrière. Voyant Solibo entrer ici, il occupe la sortie mais Solibo ne sort pas. Et mieux : il défonce la porte, mais Solibo n'est plus là ! Tu vois sa cacarelle ? Le bourreau se mettait à pleurer sur lui-même, à zieuter les alentours de ses pas, à vivre l'affolement des rats en dame-jeanne : il lui devenait clair que Solibo, lui, pouvait le piéger ! Et l'homme, en plein midi du marché, tombait à genoux : Solibo pardon ! Solibo pardon !... Inspectère, je ne veux pas avoir l'air de te raconter des diableries, mais à ce moment-là pile, Solibo surgissait joyeux comme un Guadeloupéen à leur fête des cuisinières. Il coiffait de sa main le bourreau, et lui disait : Viens boire un sirop avec Solibo, mon nègre... Le reste de la journée voyait leur allégresse autour du rhum, plus en amitié que si leur sang traversait le même cœur... Oui, il avait bu à la dame-jeanne et mangé de la chadec. Je peux partir, inspectère ? J'ai douze enfants qui m'espèrent...

Premières rougeurs du ciel. La nuit approche et souffle sur la braise des vidés : les derniers chœurs s'élèvent. Malgré l'émeute joyeuse qui la sillonne, Fort-de-France s'accroupit dans les ombres. À la fenêtre de l'hôtel de police, Pilon et Bouaffesse fument en silence. Le brigadier-chef guette l'inspecteur du coin de l'œil. On jurerait que ce dernier porte une usine sous le front. Le fil qui halera les coupables semble désormais identifié, mais Bouaffesse a perdu pied : trop de témoignages, trop d'anecdotes, les bords du puzzle ne s'emboîtent pas dans sa tête. Il dit : Faudrait tirer le canari du feu et goûter la sauce pour voir s'il n'y a pas trop de sel...

— Tu veux faire le point ?

— Ou la virgule, si tu veux...

Alors, questionné par son brigadier-chef qui aide aux floraisons de sa pensée, l'inspecteur principal articule un long mécanisme de déductions et de logique dont, fatalement, aucune chair ne peut sortir indemne : Tout est plus clair, explique-t-il à l'autre, quelques personnes du groupe (et non toutes comme je l'envisageais) nourrissaient un différend avec le nommé Solibo Magnifique, homme qui semblait susciter des sentiments extrêmes : admiration, on l'a vue à plusieurs reprises, ou haine, soigneusement occultée par ses sectateurs. Ces derniers décident l'empoisonnement et s'adressent au vieil expert et quimboiseur nommé Congo. Pour plus de sûreté, ils lui réclament deux mesures de poison (J'ai compris ! exulte Bouaffesse), une pour le touffé-requin avec lequel Sidonise devait le piéger, l'autre pour les chadecs que Doudou-Ménar avait chargée d'offrir sous le tamarinier. Ils parachèvent le filet par Sucette, le tambouyé, qui lui aussi certainement couvait rancœur contre la proie. Déploiement justifié par l'imprévisibilité de Solibo Magnifique. Nos Borgia, Brutus et Judas n'étaient pas sûrs qu'il accepterait le touffé-requin de Sidonise, ni même si cette dernière parviendrait à le joindre. Même crainte pour Doudou-Ménar et ses chadecs empoisonnées. Donc, tandis qu'au jour Sidonise ratisse la ville, Sucette, lui, le soir, tambourine en vue de l'attirer sous le tamarinier, et Doudou-Ménar (comme pour Blanche-Neige et la pomme fatale) lui offre ses fruits de sorcière. Hasard : notre homme rencontre à la fois Brutus près des piliers et Judas dans le jardin des Oliviers, il tombe dans les deux pièges ! Sidonise, l'ayant déjà ferré, alerte les autres. En allant clamer la nouvelle à Sucette et à Doudou-Ménar, ils s'aperçoivent que là aussi Solibo avait happé l'hameçon. Ils s'installent alors au spectacle de son agonie tellement prévisible que sa chute et son cri *Patat sa !* ne surprennent aucune conscience. Par excès de quiétude (Congo ayant dû faire accroire le poison indécelable), ils savourèrent leur vengeance en toute extrémité, ce qui explique qu'ils furent encore présents lors de ton arrivée, un peu surprenante d'ailleurs, Doudou-Ménar ne devant ramener qu'un médecin... Bouaffesse dit : Hum... Sidonise n'a pas l'air de haïr Solibo, et le vieux Congo s'est déshabillé pour couvrir le macchabée, il a même cassé la vitre avec sa tête quand j'analysais scientifiquement son poids... C'est pas des manières de haine, ça... —— L'Intelligence rétorque : Sidonise cache bien son jeu, mais son étrange prostration confirme mon hypothèse. Je la démasquerai à la prochaine audition. Quant à Congo, c'est du cinéma. Trop spectaculaire, bien que le respect des morts soit démesuré chez les anciens. N'oublie tout de même pas qu'il se dit fabricant de râpes à manioc. Or le manioc, dont il possède la science, recèle un des plus violents poisons du pays. Le docteur Lélonette va en extraire une forte dose du foie de Solibo. Maintenant, nous allons interroger les suspects centraux : le vieux quimboiseur et le tambouyé. Puis nous ferons revenir la nommée Sidonise. Il faudra qu'ils crachent tout : les raisons de leur querelle avec Solibo, la nature du poison, le décompte des complices... Demain, Lélonette nous confirmera l'empoisonnement, et nous porterons le tout ficelé au procureur de la République... —— Bouaffesse, heureux d'une si belle mise en forme de son idée d'empoisonnement, s'exclame : Tu es un cerveau !... Pilon ne répond pas —— (modestie).

La nuit était là quand Congo et Sucette furent amenés sur le banc, face au bureau de l'inspecteur principal. Vers 18 h 30, la foule dispersée, cars de patrouilles, motards, inspecteurs étaient rentrés au bercail le temps de quelques formalités administratives, et l'hôtel de police avait semblé se réveiller. La nuit reprit ses droits dès que l'équipe de nuit acheva son pointage, renvoyant escaliers et couloirs aux échos du désert. Au cependant de l'agitation, Pilon avait tracé un nouveau schéma, plus simple, autour des noms de Congo, Sucette et Sidonise. Il avait aussi téléphoné au commissaire, puis au procureur, puis, toujours par téléphone, s'était inquiété auprès de sa chabine du carnaval de ses enfants. N'appelant personne, pas même sa coulie, Bouaffesse (en compagnie de Jambette et de Diab-Anba-Feuilles) organisa le bureau en vue des interrogatoires à venir. On eût dit des prédateurs à l'envol pour un sang, car, miséricorde, les aimables auditions étaient terminées, Seigneur...

Congo est traîné sans ménagement. Jambette et Diab-Anba-Feuilles lui tordent les bras dans le dos, l'écrasent sur une chaise, visage sous l'incandescence d'une lampe de bureau. Le vieil homme se laisse faire. Ses yeux (galets anciens affleurant les rivières sous la frappe du carême) lui donnent un air impénétrable. Bouaffesse a remisé sa machine à écrire, il est assis sur un angle du Bureau. L'inspecteur principal n'est plus qu'une ombre derrière la lampe. Adossés à la porte, Jambette et Diab-Anba-Feuilles se tendent, impatients, oubliant Sucette dans le couloir, tordu au banc par des menottes. Personne ne dit hak. La fenêtre ouverte ne vole à la nuit aucun frais. Seules de lointaines automobiles, qui vont et viennent, vivent encore. Sous la lampe, la peau du vieil homme prend le lustre de l'acajou verni. Bientôt, la sueur l'inonde, il dit : Ha hanfê hot, qu'est-que je vous ai fait ?..., mais personne ne répond.

Plus d'un quart d'heure s'écoula. L'inspecteur principal guettait chez le vieillard une dérade du regard, un battement de la veine, signant la brisure de quelque défense prévue. Ne décelant rien, il décida l'action. Monsieur Bateau Français, indiquez-nous la nature du poison que vous avez fourni pour l'assassinat de Solibo Magnifique... En posant sa question, il parcourait les fiches que l'archiviste (en dépit des amnisties) lui avait exhumées : Bateau Français, dit Congo, avait été condamné en 1900, pour incendie volontaire d'un champ de béké au cours d'une grève mémorable. En 1935, autre grève historique, il avait été retenu durant quelques jours à la suite d'une échauffourée sur une habitation. Venaient ensuite quelques amendes pour vols de produits agricoles, ivresse publique, mais il n'était pas fiché comme quimboiseur ou séancier. Hot ahan an hahê houazon, dit Congo, hantan-an hé an hôjèt pahol la hi hépann Holibo... Devant la mine de ses supérieurs, Diab-Anba-Feuilles traduisit sans attendre : Il dit que vous cherchez un poison alors que c'est une égorgette qui a cueilli Solibo... Bouaffesse se retroussa les manches, Pilon se rapprocha.

— Connaissiez-vous madame Lolita Boidevan ?

— Hi moun, qui ?

— Doudou-Ménar...

— Awa, non !

— Antoinette Maria-Jésus Sidonise, la vendeuse de sorbets ?

— Awa !

— Éloi Apollon, dit Sucette ?

— Hi là hep mwen... iha menyen hanbou...

— Il dit oui, que c'est le tambouyé...

— Avez-vous rencontré une de ces personnes ces derniers temps ?

— Awa !

Bouaffesse intervint : Papa, écoute-moi, on respecte tes cheveux blancs, mais pour nous les assassins comme toi n'ont pas de cheveux. Sur ta manière, je vois que tu es du genre à connaître les vieilles plantes qui empoisonnent les gens plus vite que les serpents jaunes...

— Awa !

Alors le brigadier-chef saisit un énorme registre qu'il avait préparé, puis l'abattit sur le crâne du vieux nègre comme une désolation (la mauvaise).

Solibo était de la parole, mais Congo du manioc. Le culinaire balise aussi notre histoire. Les salaisons de porc disent l'époque maritime : les bateaux nous alimentaient dans les labours des premières plantations. Vint l'époque des colonats durant laquelle, à l'ombre des habitations, le béké toléra des parcelles de jardin pour nous-mêmes. Le manger fut alors d'igname, de dachine (et de ses feuilles), de petit élevage, de pois et de manioc ——— *ô manioc-roi !...* Il nous prenait juste après le sein, dans le lait et les crèmes. Nous le mangions en cassave, en pain, en gâteau, en galette. Il accompagnait les haricots, saupoudrait la fricassée et toutes les sauces du cochon-planche. Il se mariait au sirop et donnait la fécule et l'amidon. Autour de sa bienfaisance s'étaient développés les métiers et les outils de sa préparation, car, avant qu'il ne soit sans danger, il fallait le râper sur les grages, le purger de son poison dans les sacs et les « coulœuvres », le passer au tamis de lataniers puis l'assécher dans les immenses cuvettes. Après, venaient les métiers de sa distribution, de sa vente, de sa transformation. Chacun serrait chez soi, à cette époque, ces petites râpes domestiques que fabriquait Congo. Il n'avait pas été le seul à en vendre au pays, mais il fut le dernier. Durant sa jeunesse, Congo avait été un nègre des champs. Sa participation farouche aux grèves agricoles fit de lui un paria. Pièce commandeur ne héla plus son nom à l'embauche sur les habitations. Il dut se trouver une autre manière de vivre. L'époque du manioc étant propice aux créateurs, Congo fabriqua des râpes, à vendre pour quelques sous, ou à troquer contre des légumes. Il allait de case en case, son gros sac sur le dos. Ses clients l'appelaient Congo, son père ayant été de ces nègres transbordés au pays bien après l'esclavage. Leur pureté africaine avait semblé une tare face à nos métissages, et l'on disait « Congo » avec autant de mépris que l'on prononçait « nègre ». Les importations made-in-france défirent le manioc des habitudes, et même des mémoires. Il fallut désormais de la farine de blé au pain. Le bien-manger fut de steak-frites. Congo produisit pourtant ses râpes inutiles dans sa case du Lamentin. Il fut le dernier, une fois par semaine en ville, à les proposer obstinément autour des marchés ou à l'entrée des bars. Sa silhouette anachronique, courbée sous un sac de guano, qui longeait les vitrines et les embouteillages, symbolisa vainement ces époques durant lesquelles nous avions été autres mais dont chacun se détournait ——— et, pour ceux qui le voyaient, il eut nos quatre cents ans.

Congo ne ratait pas le carnaval. Ce jour du destin où Solibo ramasserait la monnaie de sa vie, il avait gagné Fort-de-France à pied, en longeant l'autoroute, sans charrier son sac de râpes incompréhensibles. Le temps de siroter un punch à crédit au *Chez Chinotte*, il avait dû se rendre sur la Savane pour contempler l'arrivée des chars et des vidés. Congo s'était bien diverti : touristes et spectateurs le croyaient déguisé. On l'applaudissait sans raison, l'on riait sans même qu'il fasse le clown, et l'on tenait à le photographier avec des enfants sur ses genoux, ou des femmes qui lui donnaient la main. Il n'avait fui ses spectateurs que pour s'intégrer parfois à quelque vidé sale, hurler, gesticuler sur environ cent mètres, puis s'effondrer sous un tamarinier en quête de son souffle. Avec le soir, il avait rejoint les trés de jeux et les rondes de serbi, mais les joueurs répugnaient à le voir auprès d'eux, le soupçonnant de par son aspect d'une aptitude aux maléfices : Hep ! vieux nègre, sors de là pendant que je pose ma misc !... Congo s'éloignait, ricanant. Parfois, il s'ancrait devant les dés, l'air obscur. Le joueur superstitieux se calmait là même, et s'éloignait à grands pas, main au quimbois protecteur. La fatigue venant, Congo s'apprêtait à regagner le Lamentin, quand un son de tambour (ou du destin) l'attira au monument aux morts. Sous un tamarinier, il vit Sucette chevauchant son gros-ka. À ses côtés, Solibo s'adressait juste à l'oreille d'une compagnie. Le vieillard avait bondi de joie en reconnaissant le Maître, si rare ces derniers temps, et —— fatalité —— il nous avait rejoints pour donner le vocal.

Ils le firent se mettre nu, s'agenouiller sur une règle carrée, ils lui martelèrent le crâne et les oreilles avec de gros annuaires, ils lui donnèrent des coups de pied, le firent ramper sous les chaises de bureau, ils lui cognèrent le foie, les graines, la nuque, ils lui écrasèrent les doigts et l'aveuglèrent avec leurs pouces. Lui qui avait connu tant de misères et de douleurs en découvrit mille autres, rythmées par la voix tranquille et innocente de l'inspecteur principal demandant : Qui a tué Solibo, monsieur Congo —— et comment ?

Quand un évanouissement l'emportait, ils sortaient leur ammoniaque et le ramenaient à la douleur. Quand il pleurait, eux riaient. Quand, pris de dérèglement nerveux, il riait, eux redoublaient de férocité et l'assommaient. S'il se taisait, eux s'acharnaient, et quand il hurlait, ils enrageaient pour le museler. Ils ne le laissaient pas inspirer, ni expirer, ils l'avaient comme placé dans une de ses râpes à manioc, et ils tournaient tournaient tournaient au gré de la voix obsédante de l'inspecteur principal : Quel poison, monsieur Congo, mais quel poison ?...

Un mot : il n'y avait plus rien d'humain par là. Congo n'avouait pas, et l'échec possible leur ôta toute distance, le plus vieux des cerveaux en eux reprit fonction, et justifia leur haine (toute la nuit).

Pilon se tenait en retrait. Le brigadier-chef dirigeait les opérations. Le bureau ressemblait maintenant à un champ de mulâtre après une battue de gendarmes-à-cheval. Congo rebondissait entre Jambette et Diab-Anba-Feuilles. Bouaffesse intervenait comme un entraîneur : pour souligner, compléter, refaire et augmenter (toute la nuit).

— Maintenant, il faut qu'on le laisse en paix, dit Bouaffesse à Pilon, sa viande va désengourdir et il va savoir quel genre de travail on a fait pour lui... Où est l'autre ?...

Éloi Apollon, crié Sucette, reçut ses premières calottes dans le couloir. On le shoota dans le bureau et on le cueillit, en volée, avec l'un des énormes cahiers. Il connut neuf souffrances et trois évanouissements, avant que Pilon ne le questionne : Comment saviez-vous que Solibo parlerait sous le tamarinier ? Avez-vous passé la journée avec lui ?... Sucette renifla que le Magnifique n'annonçait jamais rien. De cette fatale soirée sur la Savane, il lui avait seulement dit, la semaine dernière au *Chez Chinotte* : *Sucette, apporte ton tambour sous le tamarin, un de ces jours de vaval...* Solibo aimait bien paroler durant ces nuits de liesse, mais personne ne savait à quelle heure, dans quel côté et pour quelle longueur. Mais pour ce carnaval-ci, il avait disparu, et nulle part sa bouche ne s'était ouverte. Je suis venu sous le tamarinier cette nuit-là comme j'étais venu la veille, et l'avant-veille pour rien, les écoutants ont fait pareil. J'aurais pu battre toute la misère du ka sans voir pointer ses santiagos vernis, le voir arriver a été la surprise... ——— Pilon se déchaîna : comment expliquer que Solibo soit mort à ses côtés sans qu'il s'en aperçoive ? qu'avait-il à reprocher à cet homme au point de fomenter avec d'autres un empoisonnement ? quel était le poison utilisé ? Congo nous l'a déjà révélé mais on veut l'entendre de vous... Qui a fait ça ? Qui a fait ci ?... ——— Puis, après la torture, on le laissa de côté lui aussi pour que sa viande désengourdisse (le reste de la nuit).

À l'aube, il fut inutile de frapper Congo. L'art de Bouaffesse irradiait toute sa mesure interne : l'Antique se tordait, s'arquait, pleurait de terreur quand on feignait de l'approcher. Le brigadier-chef ricana et dit : Il est mûr à présent... Schéma en main, un verre de café dans l'autre, l'inspecteur principal embrayait ses questions, quand le vieux nègre, d'un bond, s'envola par la fenêtre. Il y eut un bref silence avant qu'ils ne l'entendissent s'écraser à deux étages en dessous, plus sonore qu'une conque de lambi sous un coutelas de pêcheur.

Les policiers n'eurent pas le temps de connaître l'émotion. Congo défenestré, Sucette libéra une vieille terreur. Par un curieux phénomène, il tenta lui aussi un élan vers le vide, mais Bouaffesse put le colleter, le plaquer contre l'armoire. Les policiers, en surprise, virent Sucette s'en emparer et la leur projeter aussi facilement qu'un sachet d'herbes grasses. Bouaffesse, Pilon et Jambette purent feinter l'énorme masse, seul Diab-Anba-Feuilles s'en fit avaler, à dire une yole basse sous une vague de marée. Il poussa un couinement de rat piégé avant que la plupart de ses os ne se brisent. Sucette, tout à son déchaînement, ceintura Jambette jusqu'à ce qu'il s'évanouisse, puis, armé d'un boutou, assaillit Bouaffesse pour une belle bastonnade (la seule de sa vie, dit-on). Le brigadier-chef succombait presque quand Pilon sortit son arme d'un tiroir et fit feu au plafond. Sucette redevint pitoyable, brisé par la détonation il s'aplatissait sous le bureau. Bouaffesse l'y happa, l'initiant là même aux variantes d'une lapidation. Vite, couloir et bureau furent investis de policiers en bleu ou en civil, ils avaient sorti pistolets et boutous, leurs yeux bouffis clignaient un glas, cherchant qui démolir...

Sucette est cerclé par des menottes, dans une curieuse position. Bouaffesse, et quelques autres, soulèvent l'armoire à grand-peine. Dessous, membres en équerre, Diab-Anba-Feuilles suffoque. La médecine vite ! s'écrie Bouaffesse. Par la fenêtre, Pilon observe ce qu'il reste de Congo. Quelques curieux, sortant des bals, frétillent déjà autour du corps. Des gardiens de la paix accourent, les écartent, couvrent la dépouille. Machinalement, ils regardent la façade. Pilon leur fait signe de la main, puis revient au bureau où Bouaffesse mime déjà pour la policeraille une saisissante tentative d'évasion avec violence caractérisée siouplaît, car il m'a donné une clé dans la gorge, puis il a essayé de descendre par la fenêtre comme s'il était une araignée, je lui dis : arrête, Papa ! tu vas tomber !, pas vrai inspesteur, on lui dit tous : arrête, Papa !, mais il n'écoute personne, je lui tends la main, il mord ma main et dérape flap ! et donne-descendre comme un mangot en bonne saison... Pilon ne l'écoute plus. Il réfléchit en récoltant les dossiers épars, le téléphone, les gros cahiers, les vêtements de Congo et de Sucette. Une des photos du cadavre de Solibo échappe au dossier éventré. L'inspecteur principal l'observe. Il y sera encore quand le Samu emportera Diab-Anba-Feuilles et qu'un car de police-secours rassemblera les débris de Congo dans un sac en plastique. Pour la première fois depuis le début de l'enquête, Pilon ressent une gêne...

Bouaffesse a perdu son entrain, et il se masse la nuque. Tout de même quand même, rumine-t-il, ce vieux sorcier a préféré se croire gibier plutôt que d'avouer le poison-manioc. Quoi qu'on fait à présent ?... Pilon, muet, range la photo et va fermer la fenêtre, renforçant une chaleur qui maçonne le bureau. Dans ses menottes, Sucette geint. L'inspecteur principal dit : Fais rhabiller cet homme et place-le sous bonne garde, pas avec les autres, ni avec Sidonise. J'établirai le rapport de cette nuit, rentre te coucher...

— Awa ! inspesteur, je reste jusqu'au final, refuse Bouaffesse. Jambette, ramène ce chien-là, mets-le à part et laisse-lui les menottes, après va t'endormir, tu as suffisamment donné...

Bouaffesse a parlé avec force. Inerte, l'inspecteur principal l'observe comme s'il le découvrait. L'influence incroyable de ce mâle-nègre l'a, d'emblée, presque dépossédé de l'enquête. Il se demande même si ses décisions, ses hypothèses et ses actes ont été vraiment siens. Sa gêne augmente et il se presse fortement les paupières. Jambette, lui (Sucette à la traîne), a tout de suite obtempéré en évacuant la pièce (et l'affaire Solibo).

Évariste Pilon rédigea rapidement un rapport où la défenestration de Congo devint une tentative d'évasion. Il détailla ensuite la « crise d'hystérie furieuse » qui s'était emparée de Sucette, au point qu'il blessa grièvement un des agents chargés de la garde. Puis il conseilla au brigadier-chef de se faire délivrer un certificat médical, manière de parer aux éventualités. Enfin, il téléphona au docteur Siromiel pour une visite en matinée : il fallait que le gardé à vue bénéficiât d'un contrôle médical. Tandis que Bouaffesse s'en allait chez un médecin, il déposa le rapport sur le bureau du commissaire, et revint s'asseoir sombrement devant ses notes et ses schémas ——— gêné.

Il descendait l'escalier quand Bouaffesse réapparut.

— Où tu vas ?

— ...

— Je viens !

Ils prirent une 4L de service, banalisée, et s'injectèrent dans les embouteillages matinaux de Fort-de-France. Quand la circulation se nouait, ils sortaient le gyrophare et roulaient sur les trottoirs dans un enfer de klaxon. Son carnet en main, rayant noms et adresses au fur et à mesure, l'inspecteur principal vérifia minutieusement les emplois du temps des suspects pour la journée de la mort du Magnifique. Les dépositions s'avérèrent : oui un tel est venu boire ici, oui un tel a fait ceci, un tel a fait cela, oui inspectère un tel est resté par ici jusqu'à quinze heures et puis je l'ai vu descendre vers la Savane, c'est exact il a mangé une la-morue ici-dans, noon il était seul, elle était seule... Aucun des suspects n'avait rencontré Solibo Magnifique ce jour-là. Les nègres voraces, convives de Sidonise et Solibo pour le touffé-requin, jurèrent avoir lorgné toutes les étapes de la préparation : le Papa (comme ils disaient) n'avait pas eu de portion à part, et rien n'avait augmenté son assiette, mais pourquoi tu demandes ça, inspectère ?... Chez Doudou-Ménar où ils annoncèrent à Gustave (l'inutile qui se prend pour un Latino parce qu'il espagnolise dans un orchestre à soufflants...) que sa mère (Veuillez agréer mes condoléances distinguées au nom de la loi, dit Bouaffesse) était en attente d'identification dans un tiroir de morgue, ils n'apprirent rien de plus : Non, ma mère n'était l'ennemie de personne, oui elle connaissait Monsieur Solibo mais ils ne s'étaient jamais disputés, elle l'admirait plutôt me semble-t-il, non aucun nommé Congo n'est venu ici, ni hier, ni avant-hier, aucun nommé Sucette non plus, Sidonise ? quelle Sidonise ?... Quand ils quittèrent Gustave (désconsolado), Pilon étudia longuement son schéma, supprima plusieurs flèches, raya quelques noms et dit à Bouaffesse qui n'y comprenait rien : Ça se gâte...

Le jour s'est levé dans le local de Sûreté. On nous a offert du café et des sandwiches. Siromiel nous a examinés de loin, puis est reparti sans un mot. Nous pleurons. Sidonise et Sucette ont disparu. Congo de même. Nous savons que la nuit a été furieuse, et nous avons perçu les interventions alarmées du Samu et de police-secours. De temps en temps, un gardien jette un œil inane par l'œilleton de la porte. Nous regrettons presque les yeux habités de Bobé, de Jambette et de Diab-Anba-Feuilles... Charlots a la joue ruinée par la lèpre du cimetière, il prie convulsivement. Didon, le couli, est malade : il bave, frissonne et délire. Cœurillon pleure pleure pleure, nous pleurons avec lui. Quelquefois, je leur redis en sanglotant : Je raconterai tout cela par le détail... ——— Mais, faces insonores, couleur de papaye et d'ennui, à dire ces astres morts qui servaient Saint-John Perse, ils s'en foutent.

Il est midi quand ils pénètrent dans la petite salle carrelée où le docteur Lélonette pratique ses autopsies. Un assistant, debout à ses côtés, maintient un micro de magnétophone en direction de l'expert qui énonce ses constatations : Vaisseaux distendus... cœur largement plus gros que le poing... très raide... tout cela est en bon état... foie de bonne taille, rouge sombre... vésicule biliaire vert sombre... fluide... estomac chargé, à mettre de côté... En disposant le sac grisâtre dans une cuvette, le docteur Lélonette remarque Pilon et Bouaffesse : Ah, vous êtes là ! approchez, approchez, venez voir ces fourmis... Le cadavre de Solibo Magnifique est ouvert. Presque tous ses organes ont été enlevés, coupés en tranches fines et répartis dans des cuvettes. Sa calotte crânienne a été sciée, le cerveau extrait. De gros caillots de sang maculent le tout, l'odeur fétide lutte contre celle des alcools et du chloroforme. Des fourmis-manioc sillonnent l'ensemble, exactement comme sous le tamarinier. J'ai tout essayé pour m'en débarrasser, explique Lélonette.

— Où en êtes-vous ? demande Pilon qui n'a pas envie de s'attarder.

Tout en décrochant un rein, l'expert dit : Je vous sais pressé, inspecteur, mais il me faudra encore du temps, ce corps est d'une qualité extraordinaire, voyez-vous, il n'a rien, rien (filap, filap, il tranche le rein comme une mangue à maturité, en examine les rondelles une par une, et les laisse tomber négligemment dans la cuvette), l'homme était en parfaite santé, d'une vitalité exceptionnelle... c'est quoi, son nom, vous dites ? Magnifique ? Ah, ces gens savent se trouver leur nom !... J'y souscris ! ce corps est magnifique... Ce qui me pose problème c'est qu'il présente tous les symptômes d'une mort par strangulation (il écarte le trou béant du cou de Solibo et en sort un tuyau grisâtre, cannelé, rempli d'une mousse épaisse et rougeâtre), son larynx, ses cordes vocales, toute la gorge semble avoir subi un phénomène extrêmement traumatisant... à la limite de l'égorgement... or, l'extérieur du cou, oui, oui, regardez, le cou ne présente aucun hématome, aucune trace, il est parfaitement normal : ce monsieur Magnifique aurait donc été étranglé *de l'intérieur* (Hêêin ? bêlent Pilon et Bouaffesse), ce qui n'a littéralement aucun sens, vous l'admettrez...

Indifférent aux mines étranglées des policiers, le médecin-expert replonge dans les entrailles du Magnifique : J'ai cherché un poison comme vous me l'aviez suggéré, et j'ai perdu mon temps... J'attends d'autres tests du labo, plus élaborés, mais je crois que l'on peut écarter d'emblée cette hypothèse...

— S'il n'a pas été empoisonné, quel mode d'assassination l'a mis dans cet état ?

— Messieurs, articule Lélonette avec conviction, cette mort est énigmatique du point de vue médical. En ce qui concerne l'angle de vue policier, il me faut encore quelques heures pour clore, mais, ayant déjà épuisé toutes les possibilités d'agression extérieure, je peux déjà dire qu'il n'y a pas eu crime. Ce qui me reste à élucider relève du domaine médical, uniquement médical...

— Andièt sa ! soupire Bouaffesse.

— Je peux téléphoner ? demande Pilon, soudain fébrile.

— Allez-y. L'appareil est au mur, vous aurez le standard...

— Tu appelles pour les chadecs ? murmure Bouaffesse à Pilon qui décroche nerveusement.

— Oui, c'est la dernière chance... Allô, passez-moi le laboratoire d'analyses Viantot, s'il vous plaît... Allô ? docteur Viantot ?... vous avez reçu mon petit colis ? le morceau de fruit confit... oui... alors ?... oui, je sais, ce sont des chadecs... mais encore ?... rien ? Comment ça, rien * ?...

* *Extrait des conclusions transmises à l'inspecteur principal par le laboratoire d'analyses, un temps plus tard :* « ... il s'agit, en fait, d'écorces de pamplemousse coupées en tranches, certainement ébouillantées et cuites durant une trentaine de minutes dans de l'eau fortement additionnée de sucre brun. Nous y relevons, en surface, de minuscules traces de citron

Ils roulèrent en silence pendant près d'une heure sans savoir où aller. Pilon avait longtemps quêté le salut parmi ses notes et ses schémas. Plus de cohérence. Le bel équilibre de l'empoisonnement concerté s'effondrait. Mystérieusement, ils se retrouvèrent près du tamarinier où Solibo Magnifique avait touché son horizon. Les barrières, absurdes, toujours en place, protégeaient une vacuité sinistre : lèpre d'arbre, spasmes de racines, débris de vie nocturne. Deux nouveaux gardiens (que Bouaffesse libéra) y arpentaient une mélancolie. Tandis que les agents s'en allaient à la joie, Pilon et Bouaffesse défirent la barrière, s'approchèrent de l'arbre qui empalait maintenant un lieu sans magie, sans fourmis-manioc, sans odeur de crime, sans l'aura de conspiration si impériale la veille. Une réalité poussiéreuse cuisait au soleil des relents d'urine et de fleurs assoiffées. Les policiers tâtaient l'écorce, humaient le petit vent, cherchant on ne sait quoi. Toute cette histoire n'a pas de sens !..., gémit Pilon. Bouaffesse ne répondit pas. Une barbe naissante lui brouillait la joue, sa moustache s'égaillait comme une vieille brosse à dents. Au-dessus, au travers de ses lustres et de ses soifs, le tamarinier bruissait continûment, parfois quelque nœud de son feuillage se trans-

---

râpé, de muscade et de cannelle. L'ensemble a été saupoudré de sucre glace. Les tests n'ont mis en évidence aucune trace de produits toxiques, locaux ou autres... »

formait en merles. Dans quelques heures, Vaval brûlerait avec notre joie annuelle, et, parmi les sauts de racines, Pilon et Bouaffesse en paraissaient comme d'avance accablés.

— À ton avis, c'est quoi une égorgette de la parole ? murmura Pilon.

Le brigadier-chef sursauta, puis, d'une voix presque enfantine, ou honteuse, chevrota en manière d'aveu : C'est pile exact ce que je me demandais... Cela leur épuisa la matinée car, après de vaines consultations en ville, Bouaffesse entraîna son supérieur aux arrières du pays, vers le fondoc du bois, c'est-à-dire au plus loin, auprès d'un quimboiseur expert en morts étranges, que le brigadier-chef connut et consulta aux heures de ses déceptions en matière d'horoscope. Le sorcier les reçut dans sa paillote des temps anciens à l'intérieur de laquelle l'antan s'était figé en poteries inconnues, calebasses, pailles noirâtres, et en air saturé par d'innombrables odeurs venues de l'armature : sève du bois-acacia, ranci du courbaril, et fleur d'éternité du bois de l'acoma. L'ancêtre n'avait plus de dents, ses yeux certainement inutiles avaient laissé crouler d'épaisses paupières. Pilon trouvait confusément cette démarche ridicule, d'autant que l'homme ressemblait à Congo. Pourtant, il ne put réprimer une avidité quand le vieillard, sans même réfléchir, à dire qu'il décrivait une pluie habituelle, leur souffla sa connaissance de l'égorgette de la parole. Pilon se la fit répéter une-deux fois mais n'en fut pas plus avancé. Dans le corps, inspectère, avait divulgué le sorcier dans un créole sans âge, il y a l'eau et le souffle, la parole est le souffle, le souffle est la force, la force est l'idée du corps sur la vie, sur sa vie. Maintenant, inspectère, arrête ta pensée, laisse peser dans ta tête le noir et le silence, puis, le plus soudainement que tu peux, questionne-toi : qu'arrive-t-il si la vie n'est pas ce qu'elle doit être ——— et si l'idée défaille... ? ——— Si bien qu'ils réescaladèrent cette ravine oubliée avec dans la tête un bagage du désarroi, les chaussures de Pilon n'accrochaient pas sur les fougères humides, la déclive d'herbes grasses. Le brigadier-chef le trouva si accablé qu'il le soutint par une aisselle : C'est pas la peine de réfléchir quand c'est pas la peine, inspesteur, de toute manière on n'aurait pas mis la parole en prison !... Dans la tête d'Évariste Pilon, l'affaire saisonnait, sinueuse, vaine, dérisoire, fructifère que sur un nom, une silhouette : Solibo Magnifique. Ce que les suspects avaient dit de cet homme, et qu'il avait si peu écouté, s'organisait dans sa mémoire, ainsi que l'inondation d'une nouvelle source irrésistiblement se régente en rivière. Après s'être demandé avec peu d'éléments : Qui a tué Solibo ?..., il se retrouvait disponible devant l'autre question : Qui, mais qui était ce Solibo, et pourquoi « Magnifique » ?...

Durant l'après-midi, indifférents aux délires noirs et blancs où s'enfiévrait la ville, les policiers visitèrent ceux qui leur avaient été signalés comme proches du conteur. Ils questionnèrent encore sur d'improbables ennemis, mais ne s'intéressèrent bientôt qu'à l'homme. Nul ne savait son adresse. Ceux qui en parlaient le plus volontiers, ou le plus longtemps, n'en détenaient pas une vision globale. Solibo était semblable à un reflet de vitrine, une sculpture à facettes dont aucun angle n'autorisait une perspective d'ensemble. Il avait existé, on l'avait connu, mais comme l'on connaît ces papillons jaunes qui brodent les rues sous un vent bas, le temps d'une arabesque. Quand le soir (Vaval flambant rougissait toute la rade) ils revinrent à l'hôtel de police pour libérer les témoins ——— nous libérer (à l'exception de Sucette, inculpé par le juge de C.B.V. à agent de la force publique, rébellion et toutes qualités), ils nous sollicitèrent à nouveau sur la personnalité du conteur. Nous leur redîmes l'histoire du cochon de Man Gnam, la manière dont Solibo la sauva d'un enterrement sans voix, le cirque de la bête-longue qui envoûtait Man Goul, cette terreur qui muait en amis les rares ennemis du Magnifique. Ils réapprirent l'essence du mot Solibo, ce qu'y apportait le second terme, et Sidonise leur ouvrit son cœur sur ce mystère qu'ils dirent être de l'amour. Puis, en courant, nous quittâmes leur Hôtel, plongeant nos meurtrissures de peine et d'épouvante dans les ombres joyeuses où Vaval s'éteignait.

Ô amis, merci de la faveur, la parole est cueillie, prions pour qu'elle tienne la distance du bois-baume. Solibo Magnifique fut enterré au cimetière Trabaut, sous la dalle de sa maman Florise, dans une de ces boîtes qu'accorde le bureau d'Aide sociale. Il partit seul, car nous étions serrés dans les trous de la ville, en crainte d'un retour de flamme de l'enquête policière. Il serait parti solitaire (la police ne diffuse rien aux Avis d'obsèques quand elle nettoie sa morgue et le Service des indigents ne s'inquiète d'aucunes Pompes) si les fourmis, manioc ou pas manioc, avec ailes ou sans ailes, ne s'étaient piétées au sol de son arrière-destin, toute la journée durant. En nous quittant, Sidonise avait rejoint la morgue, elle s'était jusqu'à l'aube heurtée aux murs chaulés, aux vitres aveugles, soumise à une détresse prémonitoire des œuvres de la médecine légale. Quand Lélonette, au midi du lendemain, lui permit une visite, elle fut zombifiée, autant par ce qu'elle vit de Solibo que par, ô Seigneur, ce qu'elle n'en voyait plus. On l'évacua comme on déterre une fleur, et on la replanta dans les jardins de l'hôpital. Ses enfants et Dalta le douanier vinrent l'y cueillir deux mois après, quand les ambulanciers (qui se trouvaient toujours du temps pour observer les herbes) s'émurent d'un mouvement végétal, d'une liane qui respirait, d'un fruit, d'une tige ou d'une feuille qui avait un regard.

Sitôt libre, j'avais voulu tout oublier, même cette promesse légère de porter témoignage.

Réfugié dans mon ethnographie des djobeurs du marché, je noyais mon temps à écrire, à errer avec eux entre les établis ou derrière les brouettes. Les rencontres avec Pipi ou Didon soulevaient dans ma mémoire et dans mon cœur des lancinances dont je me détournais. L'inspecteur principal m'extirpa de cet oubli névrotique pour me replonger dans une autre misère. Quand je le vis s'approcher, un matin de marché, ma seule impulsion fut de m'enfuir, redoutant je ne sais quelle autre méprise. Mais la terreur me paralysa, et il put me parler de sa voix innocente. Il me révéla ses démarches en vue de limiter la condamnation de Sucette, et qui demeurèrent vaines : Diab-Anba-Feuilles étant désormais boiteux. Il prétendit aussi allumer de temps à autre une saint-antoine sur les tombes de Doudou-Ménar et de Congo. Pendant près de huit mois, le personnage de Solibo l'avait obsédé, il avait poursuivi une enquête toute personnelle (et inoffensive) sur les conteurs et sur celui qui, à ses yeux, en était le symbole. Il avait appris que, dans ses derniers temps, le Magnifique ne trouvait plus de tribunes. Il tenait à inscrire sa parole dans notre vie ordinaire, or cette vie n'en avait plus l'oreille, ni même de ces creux où s'éternise l'écho. À part quelques lieux insolites en ville, la fête nautique du Robert, deux-trois fêtes patronales, son espace se réduisait. Des autorités de l'action culturelle avaient souvent sollicité sa participation à des spectacles de conteurs de scène, mais Solibo, craignant cette sorte de mise en conservation où l'on quittait la vie pour un cadre d'artifice, avait prétexté de mystérieuses obligations. Seule l'igname sotte, disait-il, fournit la corde qui l'étrangle. Cette transition entre son époque de mémoire en bouche, de résistance dans le détour du verbe, et cette autre où survivre doit s'écrire, le rongeait. Son charbon s'accumulant sonna le glas. Il ne vendait plus rien. Avec obstination, entrain désespéré, il ramenait de son four des sacs et des sacs, et les sacs s'ajoutaient aux sacs, pyramidaient les sacs. Nul n'en vit le désarroi dans son élocution, c'était si peu : un bourgeon de silence, une coulure dans le mot, le frisson d'une lèvre que la peur habitait. Il disparut du marché, mais sa place déserte n'interrogea les paupières que de quelques ancêtres. Pas une cliente ne posa une espère sur son retour, une question sur son absence, un argent sur son charbon que le gardien municipal fit bientôt remiser. On le vit ailleurs, passant, toujours passant, passant très vite, affairé comme un qui craint de ne plus l'être. Certains dirent qu'il n'avait pas changé, que son compte de silences n'avait pas augmenté. D'autres affirmèrent que ses paroles s'étaient taries, que personne n'habitait plus sa voix. On ne se souvenait de lui qu'en le voyant, et il se dissipait dans les mémoires avec le vent de ses talons. Il avait vu mourir les contes, défaillir le créole, il avait vu notre parole perdre de cette vitesse que pas un de nos maîtres ne pouvait écouter, il se voyait saisi par cette fatalité qu'il avait cru pouvoir vaincre. Alors, il s'adressa au seul qui pouvait le comprendre, et on le vit aller, les lèvres battant silence, en discussion avec lui-même. Il fut double, mais mal accordé : trop d'arrêts brusques, trop d'envolées aux bras, trop d'hésitations aux carrefours pour choisir un chemin. On lui entendit de ces rires qui sont des tragédies. On lui surprit de ces sourires sans âme où les yeux sont abîmes. Oh, élégant toujours, et charmeur, dit-on, mais parlant de moins en moins. Quand on sait que de son temps il étoilait chaque nuit de paroles, en brisait les journées, et que là, sans audience durant des lunes et des pleines lunes, des matin midi et soir, au long de tous calendriers, on imagine et on comprend : un flot de verbe devait lui torturer le ventre, lui vibrionner la poitrine, guetter ce terrible moment du carnaval où un cyclone lui jaillit de la gorge —— dévastateur. Il fallait, conclut Pilon, transmettre au moins l'essentiel de ce qui, en fait, avait été son testament... Il s'en alla, amis, sans que je ne lui jette un regard, que je ne lui dise un mot, bouleversé par ce rappel de ce que je savais, que nous savions tous, que nous avions toujours su de manière parcellaire.

Sa démarche n'eut d'écho en moi qu'une-deux temps plus tard, soudainement, comme ces saisons où les caïmites viennent bien. Le souvenir du Magnifique, me repossédant, brisa tous les verrous et ramena l'affaire, depuis l'éblouissante parole du Maître jusqu'aux méchancetés policières. Mais écrire ? Comment écrire la parole de Solibo ? En relisant mes premières notes du temps où je le suivais au marché, je compris qu'écrire l'oral n'était qu'une trahison, on y perdait les intonations, les mimiques, la gestuelle du conteur, et cela me paraissait d'autant plus impensable que Solibo, je le savais, y était hostile. Mais je me disais « marqueur de paroles », dérisoire cueilleur de choses fuyantes, insaisissables, comme le coulis des cathédrales du vent. Taraudé d'une obscure exigence, je consacrais mes jours à charrier une eau en panier, à esquisser des silhouettes de choses dissoutes, à élucider au travers de la trame du marché une fresque en perdition aux remous de l'abîme et du renouvellement. Je m'étais fait scribouille d'un impossible, et je m'enivrais à chevaucher des ombres, si bien que je passai des semaines à me remémorer le dit du Maître, à retrouver son ton, ses regards, les instants où son expression amusée dénonçait la gravité de ses phrases, et ceux qui, malgré la floraison du rire, étaient densifiés par l'alarme de ses yeux. Je rencontrai mes compagnons, rescapés de cette garde à vue criminelle, et j'essayai d'ordonner avec eux le feuillage verbal de la nuit du conteur, ne prenant aucune note, laissant jouer ma mémoire. Durant une charge de saisons (la saison des mangots verts, celle de la pastèque, la saison du poisson rouge et les moments du thon) je retrouvai sous le tamarinier fatal quelques-uns des survivants : chacun formulait à la manière du Magnifique les thèmes retenus, les autres donnant les réponses, et Sucette le soutien de son ka. *Ô amis, la parole n'est pas docile !...* Certains manquaient de souffle, d'autres de rythme, pas un ne réussissait à marier le ton et la gestuelle : au travail de la voix, le corps se faisait lourd, quand le geste s'amorçait, la voix disparaissait. Pipi, maître-djobeur, par un désir aigu de sauver les mots du Magnifique, approcha la performance, sur plus de trois heures, à l'allure des chevaux de bois de nos manèges créoles. Il fut enregistré, et je passai la saison des quénettes à *traduire* l'ensemble sur tout un lot de pages, tourbillonnantes et illisibles. Si bien, amis, que je me résolus à en extraire une version réduite, organisée, *écrite,* sorte d'ersatz de ce qu'avait été le Maître cette nuit-là : il était clair désormais que sa parole, sa vraie parole, toute sa parole, était perdue pour tous ——— et à jamais.

J'en étais si affecté que je me rendis à l'hôtel de police (ô inconscience !) afin d'informer Pilon de cette dernière tristesse, lui communiquer l'affligeante écriture *. Il m'était inexplicablement nécessaire qu'il disposât d'au moins cela, lui qui n'avait pas connu Solibo dans ses jours les plus beaux. Il me reçut en compagnie de Bouaffesse. Tous deux m'écoutèrent religieusement tandis que j'ânonnais les mots du Magnifi-

* Voir annexe : « Après la parole ».

que, puis ils se levèrent et sortirent de l'armoire le dossier de l'affaire. Quand, devant moi, ils eurent agrafé leurs procès-verbaux, leurs rapports, leurs photos qui ne représentaient rien, qu'ils eurent noué leur gros dossier de merde pour le descendre aux archives, signifiant ainsi qu'une enquête inutile venait de s'achever, ils avaient découvert que cet homme était la vibration d'un monde finissant, pleine de douleur, qui n'aura pour réceptacle que les vents et les mémoires indifférentes, et dont tout cela n'avait bordé que la simple onde du souffle ultime.

APRÈS LA PAROLE

L'ÉCRIT DU SOUVENIR

SÉQUENCE
DU SOLO DE SUCETTE
(au moment où Solibo Magnifique est rayé)

Plakatak,
Bling, Piting, Piting,
Tak !
Pitak, Bloukoutoum boutoum
Bloukoutoukoutoum Pitak !
Tak !
Tak Patak ! Kling
Piting, Piting, Piting
Bloukoutoum !...

DITS DE SOLIBO

« Messieurs et dames si je dis bonsoir c'est parce qu'il ne fait pas jour et si je dis pas bonne nuit c'est auquel-que la nuit sera blanche ce soir comme un cochon-planche dans son mauvais samedi et plus blanche même qu'un béké sans soleil sous son parapluie de promenade au mitan d'une pièce-cannes é krii ?

é kraa !

mais si le béké est dans la pièce-cannes il reste toujours sur son cheval bien droit et bien haut comme un lélé de canari alors que dans l'herbe sous les zanmas pas au-dessus mais pile en dessous c'est le congo qui donne sa sueur sans même savoir parler francé dire un hak pour que quelqu'un comprenne et sans même comprendre fout' qu'il y a des pays comme ça où la mer est par-devant la mer est par-derrière la mer est à tribord et à bâbord et que le plus grand chemin du pays c'est le chemin de la mer qui n'a pas de chemin même pour un canot même pour deux canots même pour dix-sept mille canots parce que s'il y avait un chemin même un petit bout de chemin dans un petit bout sans bout de chemin je l'aurais déjà piétonné pour moi-même Solibo qui vous parle là comme ça aussi mal debout sur cette terre que sur une vague deux vagues trois vagues et cætera de vagues et mille fois plus si vous voulez pis apani pon importance dirait Hortense qui danse dans la manigance misticrii ?

misticraaa !

Hortense danse dans la manigance mais par-ici pièce nègre ne va danser ce soir car la nuit sera blanche pou kouté pou tann tann ek konpwann même si le congo debout dans l'herbe sous les zanmas ne comprend pas l'A.B.C.D. et il écoutait quand même pour entendre et comprendre tendre et prendre la vie dans les filets de sa tête car pièce qualité de bête-longue n'approchait ses chevilles et quand il a pris le chemin de la montagne Vauclin pyès kalté chiens bouledogues à grandes dents méchants n'a pu aborder sa fumée car il connaissait le chemin de la montagne sans même l'avoir vue ni connue alors que nous-mêmes nègres à l'A.B.C.D. nous chantons la montagne Vauclin je ne connais pas montān Voklin anpa konèt montān Voklin anpa konèt pendant que le congo a déjà placé son corps tout en haut de la montagne et qu'il commence à apprivoiser une vie sans chaînes békés méchants cravaches que pièce nègres z'habitants ne peut aborder sans cacarelle ni djidjite ni léfrangite polyphonique à l'évangile tout moun douboute en pique quand c'est critique pour les chiques et les moustiques é kriii k ?

kraaa !

kongo pa sav l'A.B.C.D. et il est risible mais il n'est au garde-à-vous sur la montagne que devant le ciel et le soleil tandis que nous nègres à l'A.B.C.D. sommes debout à l'évangile devant le A devant le B devant le C devant le D oui patron merci patron et moi-même Solibo qui ka kalé djol mwen je crie Vive de Gaulle au 14 Juillet même si j'écartèle ma gueule je crie Vive de Gaulle et je marche au pas mais j'écartèle ma gueule comme la marchande de sucreries qui crie gâteaux gâteaux gâteaux i ka kalé djol-li pou hélé hélé gâteaux gâteaux gâteaux mais les gâteaux sont bons et elle peut parler mais moi moi moi Solibo vous dites que je suis magnifique mais si je suis magnifique qu'est-ce que j'ai à dire et qui m'a baillé la parole ? personne personne ne m'a baillé la parole et je n'ai rien à dire je dis la parole c'est tout sans commandeur géreur atron chef et capitaine fout' la parole sans devant ni derrière merde au nègre à qui l'on a baillé la parole par-ici répondez !

merde au nègre !

et si on vous dit qui a baillé la parole à Solibo ? qui a baillé la parole à Solibo ? vous dites awa oui awa car si un jour on baille la parole à Solibo, vous m'entendez nègres z'habitants si on lui baille la parole Solibo n'a plus de paroles es ini pawol la ?

non, il n'a pas la parole !

aki bay pawol la ?

personne lui a donné la parole !

il n'a pas la parole et il parle personne ne lui a baillé la parole mais Solibo est magnifique car il parle et vous êtes fâché parce que vous voulez dire à Solibo Solibo baille-nous parole des contes sur compère Tigre et sur compère Lapin sur Diable Ti-Jean et Nanie-Rosette mais Solibo ferme la bouche dessus et il dit Solibo qu'il n'est pas un bajoleur qu'il n'est pas là ce soir pour donner des leçons ou pour faire rire kia kia kia kia en faisant des tours et des détours flip-flap aléliron-viré blo par-devant frip ! glisse par-derrière tototo ? tototo ? qui est là ? blogodo c'est Solibo qui ne parle pas ce soir derrière une calebasse ou derrière un Tigre que pièce nègre n'a jamais vu dans le bas-bois de Tivoli ou dans les bois du Prêcheur ni dans pièce qualité de razié de par-ici et ce que je vois c'est rien sinon des nègres z'habitants pas même malins comme compère Lapin qui sont sur cette terre comme sur une roche sec bon sec pas ti-tac mais bidime bidime sec aboudou j'ai dit aboudou ?

dia !

tototo ? tototo ? saki la-a ?... c'est Solibo qui hèle debout là dans le pays qui hèle mal planté là sur cette terre et qui dit le paysage qui dit le morne la ravine qui dit hélez le paysage jusqu'à la soif d'un tafia et voir la vérité vue et commencer à sarcler la vérité vue si je dis Fond-Massacre ? Fond-Massacre si je dis Fond-Massacre ? c'est pas ma sac au bord de mer mais Fond-Massacre ou personne ne sait si c'est des bêtes-longues qu'on a massacrées là ou si c'est des cochons-planches ou si c'est des rats d'Inde ou toutes qualités de bêtes à sang ou bien une compagnie de nègres maudits de la bonne qualité des maudits puisque personne ne sait qui a saigné là comme du sirop-là si c'est des nègres ou des crapauds alors je dis Fond-Massacre, Fond-Massacre répondez !

je connais pas !

c'est des bêtes-longues ou des rats d'Inde ?

je connais pas !

c'est des nègres-isalops ou des cochons-planches ?

je connais pas !

alors Solibo dit tototo ? c'est Solibo-paysage Solibo des fonds-sans-fond Solibo de l'oublié Solibo des tracées sans chemin sans Tigre ni Lapin Solibo sans sucre ni sel fondal total hôpital congénital bocal municipal chacal bancal dans le local grammatical pièce écale verticale ne va faire du scandale tototo ? c'est Solibo fondamental, respirez !

Solibo fondamental !

et je reste au pays à fouiller le pays c'est en fouillant qu'on trouve l'igname et je reste à fouiller l'igname dans le pays même plus loin dans la descente de l'absence je fouille le pays même dans la manman-désolation des fruits-à-pain du jour déjà trop doux où on balance inutile près de la gôlette du malheur je fouille le pays et derrière le dos des tjoumanman ?

je fouille le pays !

et devant les mabouyas roses et pâles où tu manges des canaris de chaux en pleurant des petites roches ?

je fouille le pays !

je fouille le pays avec un mayoumbé de deux langues et tout un champ de paroles inutiles parce que par-ici c'est l'inutile qui est bon sans grand vent devant ni derrière sans bruit non plus car quand mon brouillard s'en va la Pelée est sans chapeau ?

Morne-Rouge !

et j'ai la cendre du Prêcheur qui tourbillonne sur moi qui tourbillonne sans vent et je suis une clochette grise avec un garde-à-vous de cocotiers ?

l'Anse-Céron !

et je n'ai que des boulevards de ciment pas de rues mais des boulevards de ceci et boulevards de cela qui tournent anba yonndé bidimes falèz devant la mer la plus enragée ?

Grand-Rivière !

et sur le morne j'envoie dix-sept mille escaliers qui montent montent montent sans jamais redescendre au bord de la rivière que Césaire a plombée ?

Rive-Droite-Levassor !

et j'ai tous les moustiques de la terre et du ciel avec l'odeur des foufounes-la-morue ?

Rivière-Salée !

et sur ma gueule de sable à grosse bave je hèle je hèle je hèle sans débander un rocher qui veut nous échapper ?

Diamant !

et j'ai l'eau blanche ?

Saint-Joseph !

et Schoelcher vola mon nom ?

Case-Navire !

et je suis la douleur sans herbe-à-tous-maux là où tu danses sans musique et reçois dix-sept calottes sans une seule main là où tu quittes le bateau pour tomber dans la malformation la congestion la désolation la convulsion l'obsession et l'extermination comment dire qu'est-ce que c'est que ça ?

nous pas save !

la Pointe-des-Nègres ! mes enfants la Pointe-des-Nègres passez-moi la dame-jeanne bande de soiffeurs et Sucette donne-moi une parole du ka sur la Pointe

(là, Sucette avait donné une longueur de ka)

car c'est la Pointe mes enfants qui est le

commencement du début du premier toudouvan sans retour en arrière pour dévirer remonter retourner éki fok ralé la Pwint toute la Pointe pou aklé'y sisé'y sousé'y pas pour pleurer nia nia nia mé pou travay li kon an karo achin bô kaz an nèg ki fin ou comme la dernière bouteille au pays des gueules sèches pour amarrer dessus le primordial et l'initial le premier avec le suivant et planter par-ici sur le terreau fondal-natal comme qui fondal-natal ?

comme Solibo fondamental !

ô pleurez mes enfants l'oiseau Gogo qui crut bon se noyer pour une gorge un peu sèche par quel côté vous dites ?

ici-là même !

bien mes enfants Doudou-Ménar laisse-moi goûter ta chadec glacée pour qu'un sirop donne-descendre derrière ma dent gauche sillonne mon gosier qui est plus large qu'un trou-nez de nègre étouffé roule dans mon estomac et allume mes boyaux comme une étoile du berger allume le bout du ciel à l'heure où les nègres prennent un rhum-montant pour la foi en Jésus et vous dites comme l'abbé ?

amen !

amène la dame-jeanne amène les fourmis amène le ciel la terre les dix-sept malédictions amène sur le pays une manière de volcan volcanique et critique ô mes enfants si Solibo ne voyait pas la fin du carnaval dites à Vaval que dans le rhumatisme de son troisième orteil gauche la douleur qui pointe c'est Solibo qui pleure nia nia nia à comme dire la fontaine Gueydon quand dix mille pluies ont descendu les mornes épi tout kalté-model de cochonneries de pieds-bois pourris et de saletés et qui pleure non pas sur la vie car la vie d'ici ne vaut pas un crabe farci déjà rassis dans les soucis mais qui pleure pour récurer les cocos de ses yeux récurer les trottoirs de ses yeux récurer les bassins de ses yeux et rentrer dans l'autre bord et dans lui-même avec des yeux tout neufs pleins d'une lumière de pile wonder qui ne s'use comment la pile wôander

QUE SI L'ON S'EN SERT !

car s'il fallait pleurer sur la vie d'ici qui ne vaut pas un canari de viande pourrie j'aurais pleuré le sirop qu'Antoinise envoyait sous mes caresses à peine un début de caresse un petit-petit toucher délicat que déjà Antoinise envoyait du sirop un sirop DO un sirop RÉ un sirop DO RÉ MI FA SOL ah l'enfant DO ah DO RÉ MI FA SOL LA SI manmay vous connaissez la chanson ?

DO — DO LA SI DO !

ési yo di zot kon sa poutÿ pourquoi donc Solibo a pleuré nia nia nia à l'heure de la descente dites qu'il a pleuré sur le sirop qu'Antoinise le doux petit sirop plus sucré que la première sucrerie que suce un nègre vorace après mille coup de dents sur un ti-nain viande salée quand pièce fontaine ne coule pour lui et que personne ne lui donne un verre d'eau DO DO l'enfant DO ?

DOO — DO LA SI DO !

alors mes enfants si vous voyez que Solibo est mort et que la Gwadloup vient sillonner son corps enterrez-le sous un tonneau de rhum pas de pleurer z'enfants car sous le tonneau Solibo sera en joie chaque goutte de rhum du tonneau de rhum va couler dans sa gueule à rhum enterrez-le sous le tonneau z'enfants enterrez-le sous le tonneau et quand l'abbé viendra donnez-lui du rhum pour son goupillon Solibo sera en joie chaque goutte de rhum du goupillon à rhum va couler dans sa gueule à rhum et si l'abbé dit et spiritu sanctus vous répondez comme dans la chanson ?

SECULARUM C'EST RHUM !

si l'abbé dit dominus vobiscum ?

SECULARUM C'EST RHUM !

et sous le tonneau Solibo sera en joie il ira au pays sans pays où le ciel a treize couleurs plus la dernière couleur où les mauvaises herbes poussent moins souvent que l'igname pacala où Air France n'a pas d'avions et où les békés pani pièce qualité modèle d'habitation d'usines de gros magasins où le charbon n'a pas besoin de feu et où le feu monte sans charbon où on voit des enfants qui volent avec des guêpes et des papillons où le soleil est un gwoka et la lune un pipeau où les nègres sont en joie en musique en danse en sirop sur le dos de la vie et où mes enfants où Solibo lui-même malgré sa grande gueule et sa grande langue et sa grande gorge n'aura plus besoin de... houg... PATAT'SA !...

PATAT' SI !... »

DU MÊME AUTEUR

Aux Éditions Gallimard

CHRONIQUE DES SEPT MISÈRES, *roman*, 1986. Prix Kléber Haedens, prix de l'île Maurice.

CHRONIQUE DES SEPT MISÈRES, *suivi de* PAROLES DE DJOBEURS, préface d'Édouard Glissant, *roman*, 1988 (Folio nº 1965).

SOLIBO MAGNIFIQUE, *roman*, 1988 (Folio nº 2277).

ÉLOGE DE LA CRÉOLITÉ, avec Jean Bernabé et Raphaël Confiant, *essai*, 1989.

ÉLOGE DE LA CRÉOLITÉ/*IN PRAISE OF CREOLENESS*, édition bilingue, *essai*, 1993.

TEXACO, *roman*, 1992. Prix Goncourt (Folio nº 2634).

ANTAN D'ENFANCE, 1993 (1re parution Hatier, 1990). Grand Prix Carbet de la Caraïbe (Folio nº 2844 : *Une enfance créole*, I, préface inédite de l'auteur).

ÉCRIRE LA PAROLE DE NUIT. LA NOUVELLE LITTÉRATURE ANTILLAISE, *ouvrage collectif*, 1994 (Folio Essais nº 239).

CHEMIN-D'ÉCOLE, *mémoires*, 1994 (Folio nº 2843 : *Une enfance créole*, II).

L'ESCLAVE VIEIL HOMME ET LE MOLOSSE, avec un entre-dire d'Édouard Glissant, *roman*, 1997 (Folio nº 3184).

ÉCRIRE EN PAYS DOMINÉ, *essai*, 1997 (Folio nº 3677).

ELMIRE DES SEPT BONHEURS. Confidences d'un vieux travailleur de la distillerie Saint-Étienne, photographies de Jean-Luc de Laguarigue, *essai*, 1998.

ÉMERVEILLES, illustrations de Maure, *nouvelles*, 1998 (coll. Giboulées).

BIBLIQUE DES DERNIERS GESTES, *roman*, 2002 (Folio nº 3942).

À BOUT D'ENFANCE, coll. Haute Enfance, *mémoires*, 2004 (Folio nº 4430 : *Une enfance créole*, III).

UN DIMANCHE AU CACHOT, *roman*, 2007. Prix RFO 2008 (Folio nº 4899).

LES NEUF CONSCIENCES DU MALFINI, *roman*, 2009 (Folio nº 5160).

LE DÉSHUMAIN GRANDIOSE, coffret comprenant *L'Esclave vieil homme et le molosse* (Folio nº 3184), *Un dimanche au cachot* (Folio nº 4899) et une postface, *De la mémoire obscure à la mémoire consciente*, 2010.

Chez d'autres éditeurs

MANMAN DIO CONTRE LA FÉE CARABOSSE, *théâtre conté*, *Éd. Caribéennes*, 1981.

AU TEMPS DE L'ANTAN, *contes créoles*, *Hatier*, 1988. Grand Prix de la littérature de jeunesse.

MARTINIQUE, *essai*, *Éd. Hoa-Qui*, 1989.

LETTRES CRÉOLES, tracées antillaises et continentales de la littérature, Martinique, Guadeloupe, Guyane, Haïti, 1635-1975, en collaboration avec Raphaël Confiant, *essai*, *Hatier*, 1991 (Folio Essais nº 352, nouvelle édition).

GUYANE, TRACES-MÉMOIRES DU BAGNE, *essai*, *C.N.M.H.S.*, 1994.

LES BOIS SACRÉS D'HÉLÉNON, en collaboration avec Dominique Berthet, *Dapper*, 2002.

QUAND LES MURS TOMBENT. L'identité nationale hors-la-loi ?, en collaboration avec Édouard Glissant, *essai*, *Galaade*, 2007.

TRÉSORS CACHÉS ET PATRIMOINE NATUREL DE LA MARTINIQUE VUE DU CIEL, avec des photographies d'Anne Chopin, *HC*, 2007.

LES TREMBLEMENTS DU MONDE, *À Plus d'un Titre Éditions*, 2009.

L'INTRAITABLE BEAUTÉ DU MONDE : ADRESSE À BARACK OBAMA, en collaboration avec Édouard Glissant, *Galaade Éditions*, 2009.

COLLECTION FOLIO

Dernières parutions

5411. Colin Thubron — *En Sibérie*
5412. Alexis de Tocqueville — *Quinze jours dans le désert*
5413. Thomas More — *L'Utopie*
5414. Madame de Sévigné — *Lettres de l'année 1671*
5415. Franz Bartelt — *Une sainte fille et autres nouvelles*
5416. Mikhaïl Boulgakov — *Morphine*
5417. Guillermo Cabrera Infante — *Coupable d'avoir dansé le cha-cha-cha*
5418. Collectif — *Jouons avec les mots. Jeux littéraires*
5419. Guy de Maupassant — *Contes au fil de l'eau*
5420. Thomas Hardy — *Les Intrus de la Maison Haute* précédé d'un autre conte du Wessex
5421. Mohamed Kacimi — *La confession d'Abraham*
5422. Orhan Pamuk — *Mon père et autres textes*
5423. Jonathan Swift — *Modeste proposition et autres textes*
5424. Sylvain Tesson — *L'éternel retour*
5425. David Foenkinos — *Nos séparations*
5426. François Cavanna — *Lune de miel*
5427. Philippe Djian — *Lorsque Lou*
5428. Hans Fallada — *Le buveur*
5429. William Faulkner — *La ville*
5430. Alain Finkielkraut (sous la direction de) — *L'interminable écriture de l'Extermination*
5431. William Golding — *Sa majesté des mouches*
5432. Jean Hatzfeld — *Où en est la nuit*
5433. Gavino Ledda — *Padre Padrone. L'éducation d'un berger Surde*

5434. Andrea Levy — *Une si longue histoire*
5435. Marco Mancassola — *La vie sexuelle des super-héros*
5436. Saskia Noort — *D'excellents voisins*
5437. Olivia Rosenthal — *Que font les rennes après Noël?*
5438. Patti Smith — *Just Kids*
5439. Arthur de Gobineau — *Nouvelles asiatiques*
5440. Pierric Bailly — *Michael Jackson*
5441. Raphaël Confiant — *La Jarre d'or*
5442. Jack Kerouac — *Visions de Cody*
5443. Philippe Le Guillou — *Fleurs de tempête*
5444. François Bégaudeau — *La blessure la vraie*
5445. Jérôme Garcin — *Olivier*
5446. Iegor Gran — *L'écologie en bas de chez moi*
5447. Patrick Mosconi — *Mélancolies*
5448. J.-B. Pontalis — *Un jour, le crime*
5449. Jean-Christophe Rufin — *Sept histoires qui reviennent de loin*
5450. Sempé-Goscinny — *Le Petit Nicolas s'amuse*
5451. David Vann — *Sukkwan Island*
5452. Ferdinand Von Schirach — *Crimes*
5453. Liu Xinwu — *Poussière et sueur*
5454. Ernest Hemingway — *Paris est une fête*
5455. Marc-Édouard Nabe — *Lucette*
5456. Italo Calvino — *Le sentier des nids d'araignées* (à paraître)
5457. Italo Calvino — *Le vicomte pourfendu*
5458. Italo Calvino — *Le baron perché*
5459. Italo Calvino — *Le chevalier inexistant*
5460. Italo Calvino — *Les villes invisibles* (à paraître)
5461. Italo Calvino — *Sous le soleil jaguar* (à paraître)
5462. Lewis Carroll — *Misch-Masch* et autres textes de jeunesse
5463. Collectif — *Un voyage érotique. Invitation à l'amour dans la littérature du monde entier*

5464.	François de La Rochefoucauld	*Maximes* suivi de *Portrait de de La Rochefoucauld par lui-même*
5465.	William Faulkner	*Coucher de soleil* et autres Croquis de La Nouvelle-Orléans
5466.	Jack Kerouac	*Sur les origines d'une génération* suivi de *Le dernier mot*
5467.	Liu Xinwu	*La Cendrillon du canal* suivi de *Poisson à face humaine*
5468.	Patrick Pécherot	*Petit éloge des coins de rue*
5469.	George Sand	*Le château de Pictordu*
5470.	Montaigne	*Sur l'oisiveté* et autres Essais en français moderne
5471.	Martin Winckler	*Petit éloge des séries télé*
5472.	Rétif de La Bretonne	*La Dernière aventure d'un homme de quarante-cinq ans*
5473.	Pierre Assouline	*Vies de Job*
5474.	Antoine Audouard	*Le rendez-vous de Saigon*
5475.	Tonino Benacquista	*Homo erectus*
5476.	René Fregni	*La fiancée des corbeaux*
5477.	Shilpi Somaya Gowda	*La fille secrète*
5478.	Roger Grenier	*Le palais des livres*
5479.	Angela Huth	*Souviens-toi de Hallows Farm*
5480.	Ian McEwan	*Solaire*
5481.	Orhan Pamuk	*Le musée de l'Innocence*
5482.	Georges Perec	*Les mots croisés*
5483.	Patrick Pécherot	*L'homme à la carabine. Esquisse*
5484.	Fernando Pessoa	*L'affaire Vargas*
5485.	Philippe Sollers	*Trésor d'Amour*
5487.	Charles Dickens	*Contes de Noël*
5488.	Christian Bobin	*Un assassin blanc comme neige*
5490.	Philippe Djian	*Vengeances*
5491.	Erri De Luca	*En haut à gauche*
5492.	Nicolas Fargues	*Tu verras*
5493.	Romain Gary	*Gros-Câlin*
5494.	Jens Christian Grøndahl	*Quatre jours en mars*

5495. Jack Kerouac — *Vanité de Duluoz. Une éducation aventureuse 1939-1946*
5496. Atiq Rahimi — *Maudit soit Dostoïevski*
5497. Jean Rouaud — *Comment gagner sa vie honnêtement. La vie poétique, I*
5498. Michel Schneider — *Bleu passé*
5499. Michel Schneider — *Comme une ombre*
5500. Jorge Semprun — *L'évanouissement*
5501. Virginia Woolf — *La Chambre de Jacob*
5502. Tardi-Pennac — *La débauche*
5503. Kris et Étienne Davodeau — *Un homme est mort*
5504. Pierre Dragon et Frederik Peeters — *R G Intégrale*
5505. Erri De Luca — *Le poids du papillon*
5506. René Belleto — *Hors la loi*
5507. Roberto Calasso — *K.*
5508. Yannik Haenel — *Le sens du calme*
5509. Wang Meng — *Contes et libelles*
5510. Julian Barnes — *Pulsations*
5511. François Bizot — *Le silence du bourreau*
5512. John Cheever — *L'homme de ses rêves*
5513. David Foenkinos — *Les souvenirs*
5514. Philippe Forest — *Toute la nuit*
5515. Éric Fottorino — *Le dos crawlé*
5516. Hubert Haddad — *Opium Poppy*
5517. Maurice Leblanc — *L'Aiguille creuse*
5518. Mathieu Lindon — *Ce qu'aimer veut dire*
5519. Mathieu Lindon — *En enfance*
5520. Akira Mizubayashi — *Une langue venue d'ailleurs*
5521. Jón Kalman Stefánsson — *La tristesse des anges*
5522. Homère — *Iliade*
5523. E.M. Cioran — *Pensées étranglées* précédé du *Mauvais démiurge*
5524. Dôgen — *Corps et esprit. La Voie du zen*
5525. Maître Eckhart — *L'amour est fort comme la mort* et autres textes

5526. Jacques Ellul	*«Je suis sincère avec moi-même»* et autres lieux communs
5527. Liu An	*Du monde des hommes. De l'art de vivre parmi ses semblables.*
5528. Sénèque	*De la providence* suivi de *Lettres à Lucilius (lettres 71 à 74)*
5529. Saâdi	*Le Jardin des Fruits. Histoires édifiantes et spirituelles*
5530. Tchouang-tseu	*Joie suprême* et autres textes
5531. Jacques de Voragine	*La Légende dorée. Vie et mort de saintes illustres*
5532. Grimm	*Hänsel et Gretel* et autres contes
5533. Gabriela Adameşteanu	*Une matinée perdue*
5534. Eleanor Catton	*La répétition*
5535. Laurence Cossé	*Les amandes amères*
5536. Mircea Eliade	*À l'ombre d'une fleur de lys...*
5537. Gérard Guégan	*Fontenoy ne reviendra plus*
5538. Alexis Jenni	*L'art français de la guerre*
5539. Michèle Lesbre	*Un lac immense et blanc*
5540. Manset	*Visage d'un dieu inca*
5541. Catherine Millot	O Solitude
5542. Amos Oz	*La troisième sphère*
5543. Jean Rolin	*Le ravissement de Britney Spears*
5544. Philip Roth	*Le rabaissement*
5545. Honoré de Balzac	*Illusions perdues*
5546. Guillaume Apollinaire	*Alcools*
5547. Tahar Ben Jelloun	*Jean Genet, menteur sublime*
5548. Roberto Bolaño	*Le Troisième Reich*
5549. Michaël Ferrier	*Fukushima. Récit d'un désastre*
5550. Gilles Leroy	*Dormir avec ceux qu'on aime*
5551. Annabel Lyon	*Le juste milieu*
5552. Carole Martinez	*Du domaine des Murmures*
5553. Éric Reinhardt	*Existence*
5554. Éric Reinhardt	*Le système Victoria*
5555. Boualem Sansal	*Rue Darwin*
5556. Anne Serre	*Les débutants*
5557. Romain Gary	*Les têtes de Stéphanie*